MIRELLA DI BLASIO

PRÉMÉNOPAUSE

GUIDE DE **SURVIE** POUR RESTER **ZEN**

Illustrations de **STEF HEENDRICKXEN** • Avec la participation de **LISA SAMET**, naturopathe

Conception graphique : Stef Heendrickxen
Révision et correction : Marielle Bedek et Céline Vangheluwe
Photographie de Mirella Di Blasio : Merryl B. Photographe

ISBN : 978-2-924720-63-9
Dépôt légal – Bibliothèque et Archives nationales du Québec, 2018
Dépôt légal – Bibliothèque et Archives Canada, 2018

Imprimé au Manitoba Canada

Je dédicace ce livre aux femmes guerrières qui se tiennent debout dans l'adversité et à mon chéri Pierre qui, contre vents et marées, est resté à mes côtés pendant toutes ces années !

– Mirella

MON SCORE : 30 SUR 35

La préménopause est un sujet tabou. Qui veut en parler sans trahir son âge ou sans craindre de passer pour une hystérique à qui on devrait refiler une bonne dose d'antidépresseurs ? L'idée d'écrire ce livre m'est venue avec l'accumulation des symptômes. Il y en a 35 ! Et sur ces 35, j'en ai expérimenté 30. Pas mal, comme score.

J'ai eu envie de
QUITTER mon conjoint,
ME JETER en bas d'un pont,
FUIR mes responsabilités,
ME CACHER jusqu'à ce que ça passe,
VENDRE ma mère,
ENVOYER PROMENER mes clients…

Je ne me reconnaissais plus.
J'étais morte de fatigue.
J'ai cru que je devenais folle.

Et puis un jour, j'ai réalisé que ça me faisait du bien de rire de mes malheurs et d'en discuter avec mon conjoint, mon homéopathe et mes ami(e)s. Ces

dialogues humoristiques sur la préménopause et son lot de symptômes non seulement étaient salvateurs pour moi, mais ils incitaient mes interlocuteurs à la confidence et renforçaient les liens quand mon humeur en dents de scie aurait pu les briser.

Maintenant que je suis de l'autre côté et que mes hormones se sont calmées, j'ai eu envie de vous dire que c'est normal de vous sentir comme vous vous sentez et que c'est normal que vous ressentiez ce que vous ressentez. C'est un mauvais moment à passer, et c'est justement la bonne nouvelle : l'état dans lequel vous êtes est passager. Il y a de la lumière au bout du tunnel !

Je vais donc vous présenter les 35 symptômes de la préménopause et vous faire part de mes expériences personnelles et des trucs que j'ai découverts pour traverser, le moins douloureusement possible, cette période de ma vie.

J'espère que ces pages vous apporteront un peu de répit, vous aideront à dédramatiser et sensibiliseront votre entourage à ce que vous vivez.

Célébrons par le rire et l'autodérision ce « rite de passage » !

Mirella

LES 35 SUPPLICES POTENTIELS

(COCHEZ CEUX QUE VOUS SUBISSEZ)

Symptôme n° 1

LES BOUFFÉES DE CHALEUR

Que vous soyez prude ou dévergondée, les bouffées de chaleur feront de vous une véritable effeuilleuse, et vous aurez envie de crier « Déshabillez-moi ! », avant de vous rhabiller, une fois l'effet passé. Et si, comme c'est mon cas, vous avez tendance à transpirer abondamment quand vous faites du sport, vous n'êtes pas sortie de l'auberge ! Je vous dis la vérité vraie : ce symptôme est le plus coriace, d'autant plus qu'il résiste à la préménopause et persiste une fois que vous êtes ménopausée.

Quand tout le monde autour de vous accueille les beaux jours avec le sourire, vous êtes la seule à nourrir l'espoir que la canicule ne sera pas au rendez-vous cette année. Et si d'aventure votre chéri vous propose des vacances à Miami, vous lui suggérerez plutôt un voyage en Patagonie.

Si vous ne l'avez pas encore expérimenté, imaginez l'inconfort vécu lors d'une réunion professionnelle où tout le monde porte sa petite laine dans une salle trop climatisée, tandis que vous transpirez à grosses gouttes, que vous sortez votre éventail et que tous les regards se braquent sur vous…

Concrètement, comment ça se passe ? La bouffée de chaleur naît dans le bas-ventre ou au bas du cou et enflamme votre visage jusqu'en haut de la tête. Vous prenez (ou pas, cela dépend), en l'espace de quelques secondes, un joli teint d'écrevisse, mais surtout, des gouttes de transpiration se forment sur les tempes, sur la nuque, sous le nez, entre les seins, sur le dos, sur le cuir chevelu... Il y a de quoi faire friser les cheveux les plus lisses ! Viennent ensuite les frissons qui vous parcourent le corps, laissant vos vêtements et votre peau moites, et parfois aussi de longues dégoulinades de maquillage…

Et pour couronner le tout, les bouffées de chaleur sont accompagnées d'un autre symptôme de ce bel âge : l'irritabilité. Eh oui, transpirer à grosses gouttes fait monter la moutarde au nez !

Que faire ?

L'éventail est votre meilleur ami et vous devez en avoir un sur vous ou à votre portée en tout temps. C'est plus chic qu'un menu (au restaurant), un cahier (au bureau) ou un pamphlet (dans un magasin).

Mon deuxième conseil ? Cultivez votre sens de l'humour et ayez de la répartie ! Il est préférable de rire avec les autres de ce qui vous arrive, plutôt que de prétendre que tout va bien ! Vous gagnerez du capital de sympathie.

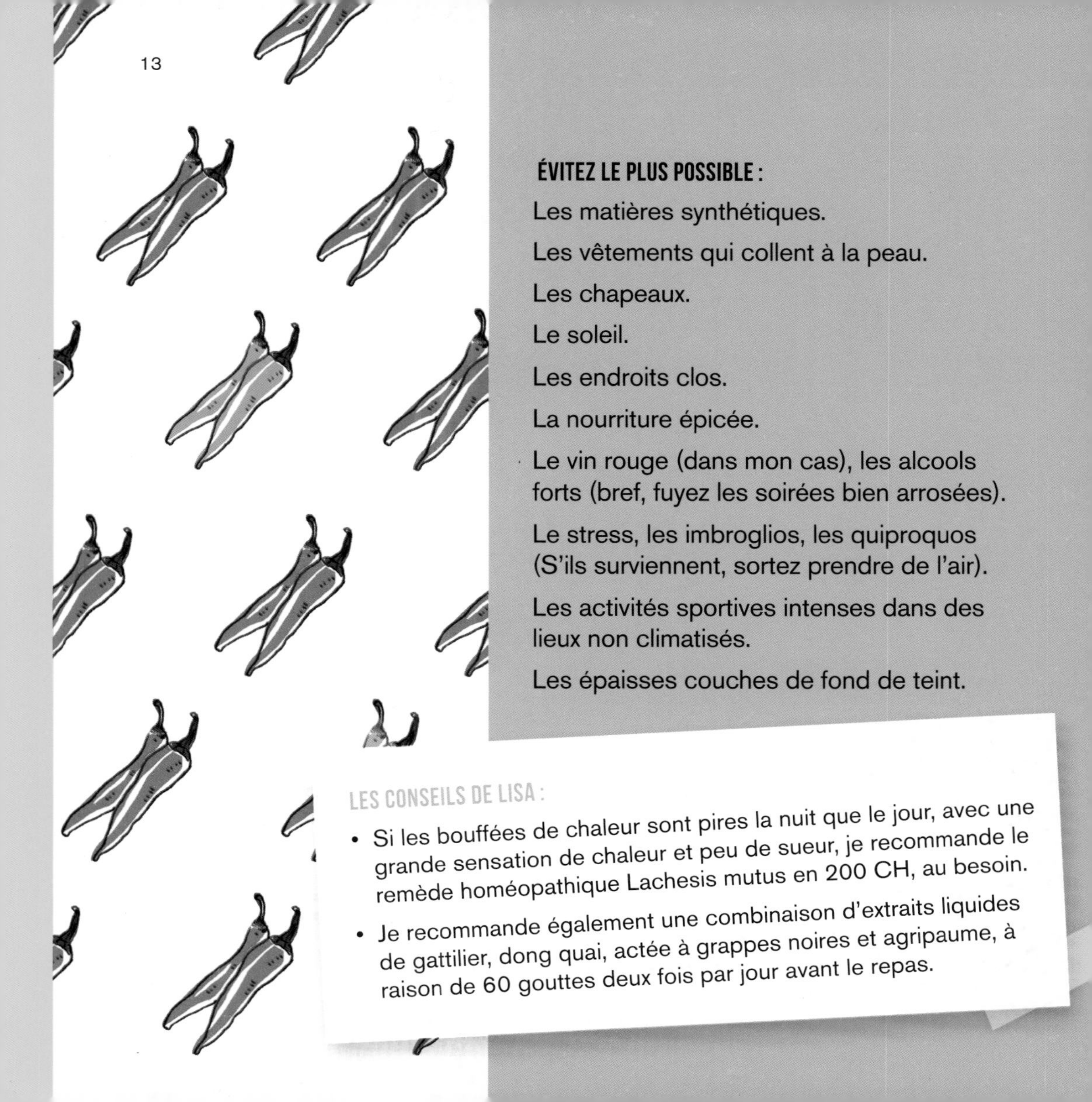

ÉVITEZ LE PLUS POSSIBLE :

Les matières synthétiques.

Les vêtements qui collent à la peau.

Les chapeaux.

Le soleil.

Les endroits clos.

La nourriture épicée.

Le vin rouge (dans mon cas), les alcools forts (bref, fuyez les soirées bien arrosées).

Le stress, les imbroglios, les quiproquos (S'ils surviennent, sortez prendre de l'air).

Les activités sportives intenses dans des lieux non climatisés.

Les épaisses couches de fond de teint.

LES CONSEILS DE LISA :

- Si les bouffées de chaleur sont pires la nuit que le jour, avec une grande sensation de chaleur et peu de sueur, je recommande le remède homéopathique Lachesis mutus en 200 CH, au besoin.
- Je recommande également une combinaison d'extraits liquides de gattilier, dong quai, actée à grappes noires et agripaume, à raison de 60 gouttes deux fois par jour avant le repas.

Symptôme n° 2

LES SUEURS NOCTURNES

« Qu'est-ce qui m'arrive ? Je suis trempée, j'ai froid. J'ai fait pipi au lit ou quoi ? » J'étais loin de me douter que mon métabolisme allait autant s'activer durant la nuit. Je vous assure que, dans la liste des symptômes plus que désagréables, celui-ci arrive en tête.

Ça a commencé par la sensation d'avoir chaud. J'avais la peau moite. Mon amoureux, qui avait l'habitude de dormir collé contre moi, a eu droit à une semonce directe : « Dégage, j'ai chaud ! » Je ne sais pas pour vous, mais moi, je deviens un monstre la nuit !

Après quelques mois, des perles d'eau se sont formées entre mes seins et sur ma nuque. C'est à ce moment que j'ai commencé la danse de la couette : sors le pied, rentre le pied ; sors le bras, rentre le bras ; retire la couette, remets la couette. Quelle gymnastique !

Mais je n'étais pas au bout de mes surprises. En effet, les sueurs nocturnes se sont intensifiées au fil des mois, à tel point que j'ai décidé de les rebaptiser « inondations nocturnes ». Si, comme on l'affirme, le corps humain est composé d'environ 60 % d'eau, je vous assure que j'en perdais au moins 10 % chaque nuit. Je me sentais comme une passoire.

Les pores de ma peau pissaient de l'eau.

Chaud, froid, change de pyjama.

Chaud, froid, change de draps.

Chaud, froid, change de corps !

J'étais à la fois fascinée et furax.

C'est, encore une fois, ma « sorcière bien-aimée » qui m'a sauvée avec une petite granule qui a diminué mes sudations.

De vous à moi, sachez qu'à l'époque, j'habitais encore avec mon chéri. Depuis, nous habitons le même immeuble, mais chacun dans son appartement. Est-ce une conséquence de la préménopause ? Est-ce que je lui ai assez dit qu'il méritait la médaille du courage et de la tolérance pour avoir subi tous mes états d'âme à cette époque ? En tout cas, voilà, c'est écrit à jamais !

LES CONSEILS DE LISA :

- Pensez à consulter un homéopathe ; l'homéopathie fait des merveilles pour rééquilibrer les hormones, normaliser la température corporelle et réduire les sueurs nocturnes.
- Essayez un mélange pro-œstrogénique comprenant : actée à grappes noires, trèfle rouge, igname sauvage, isoflavones de soja, dong quai, racine de réglisse et huile d'onagre.

MON COUP DE POUCE :

Gardez des nuisettes ou des pyjamas de rechange à côté de votre lit.

Mettez des serviettes de bain sur vos draps au lieu de changer les draps en pleine nuit.

Expliquez à votre chéri ou votre douce que, pendant quelque temps, vous allez être agitée.

Évitez d'engueuler votre partenaire s'il (ou elle) vous colle trop.

Parlez-en au plus vite à votre naturopathe, homéopathe, médecin…

Symptôme n° 3

LA RÉTENTION D'EAU

Avez-vous déjà enfilé un déguisement de lutteur de sumo ? C'est l'image qui me vient en tête lorsque je repense à la phase de rétention d'eau. C'était comme s'il y avait de l'air entre ma peau et le reste de mon corps.

Si vous avez vécu une grossesse, vous savez sans doute de quoi je parle. Moi, je n'ai pas eu cette chance, alors je peux vous dire que lorsque j'ai constaté que genoux, mollets, poignets, bras et ventre avaient doublé de volume, j'ai été à deux doigts de me rendre aux urgences ! Une fois de plus, mon chéri a freiné mon élan vers l'hôpital.

À la place, j'ai composé le 811 qui, pour ceux qui ne le sauraient pas, est le numéro du service téléphonique médical au Québec, qui nous permet de parler à des infirmières de nos problèmes de santé au lieu de nous précipiter sur le premier médecin venu.

J'ai décrit à qui de droit l'état de mes jambes devenues des saucisses bien dodues. Après un interrogatoire rapide, l'hypothèse d'une phlébite a été écartée : il s'agissait d'un simple problème de rétention d'eau. « Madame, on n'en meurt pas. » Charmant, me suis-je dit. Un irritant de plus, merci ! À cette époque, j'étais loin de savoir qu'outre les bouffées de chaleur, l'insomnie, les sautes d'humeur, l'incontinence et les crises d'anxiété, il fallait ajouter la rétention d'eau sur la liste des symptômes de la préménopause et qu'il en existait 29 autres qui pourraient potentiellement m'affliger !

Pendant plusieurs années, ce symptôme se manifestait puis disparaissait, un peu comme s'il cherchait à jouer à cache-cache avec moi. Puis un été, en bord de mer, mon ventre a doublé de volume en quelques jours. On aurait dit que j'avais avalé une pastèque ! Mon chéri, ma sœur, ma mère : tous l'ont remarqué. Je n'en revenais pas ! J'ai lu, depuis, que la rétention d'eau peut engendrer un changement brusque de poids de plusieurs kilos en 24 heures !

C'est à partir de ce moment que j'ai opté pour le port du maillot une pièce en nid-d'abeilles au niveau du ventre histoire d'atténuer mon bedon, et pour la jupe longue afin de dissimuler mes chevilles potelées. J'ai commencé à porter des sandales avec sangles ajustables. J'ai rangé mes pantalons moulants. Et je me suis mise à rêver de pays nordiques où le froid règne 365 jours par année.

LES CONSEILS DE LISA :

- Ajoutez des quantités généreuses de persil à vos aliments et buvez de la tisane de pissenlit ; les deux sont des diurétiques naturels.

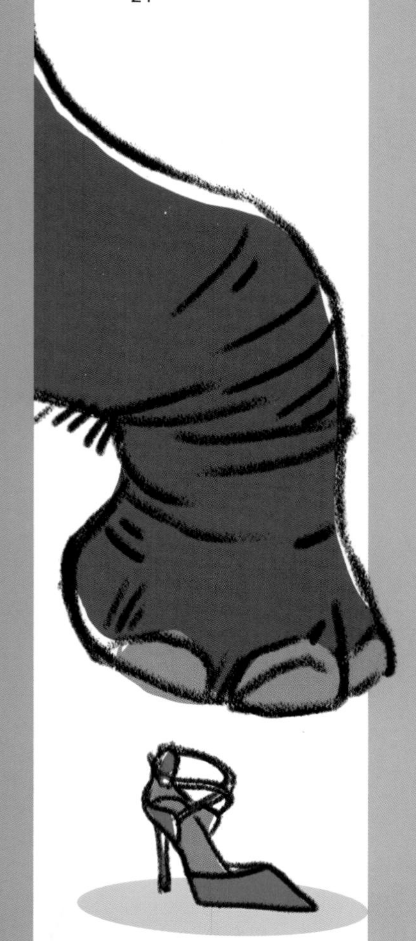

MES CONSEILS D'AMIE :

Buvez beaucoup d'eau.

Évitez les mets épicés et salés, le sucre raffiné, les plats cuisinés à cause de leur haute teneur en sodium, les charcuteries.

Découvrez les aliments qui vous font enfler et évitez d'en manger.

Si vous avez des valises d'eau sous les yeux, surélevez votre lit au niveau de la tête.

Ne portez pas de vêtements avec des bandes élastiques qui vous serrent les chevilles, la taille ou les bras pour éviter tout inconfort en fin de journée.

Faites le deuil temporaire de certains bijoux comme les bagues ou les bracelets.

Rangez vos escarpins à bouts pointus pour un temps.

Restez positive, ce n'est que passager !

Symptôme n° 4

LES MENSTRUATIONS IRRÉGULIÈRES/ABONDANTES

Toute ma vie, j'ai eu un cycle menstruel de 28 jours, une ovulation au 14e jour et des menstruations légères qui duraient de 3 à 4 jours. C'est ce qu'on appelle être réglée comme du papier à musique. Mon homme et moi, nous savions chaque mois exactement quand le syndrome prémenstruel (SPM) allait frapper ! Il savait que j'allais remettre ma vie en question, et moi, je redoutais les crises existentielles annoncées.

À l'âge de 46 ans, je me suis mise à avoir des règles qui duraient de 6 à 8 jours et le flux a doublé de volume ! Je suis passée de tampons *slim* à des super plus que je devais remplacer toutes les heures. Peu de temps après, c'est la régularité de mon cycle qui s'est détraquée. Il est passé de 28 jours à 36. Étant une personnalité de type A, c'est-à-dire ayant notamment une tendance à vouloir contrôler les choses, j'ai été profondément perturbée par ces changements.

La première fois où j'ai eu des règles abondantes, nous prenions l'apéro dans un bar avec des amis qui étaient de passage. J'étais vêtue de blanc de la tête aux pieds quand, soudainement, j'ai senti une matière chaude et visqueuse couler le long de mon entrejambe. J'ai quitté la table en catastrophe, en direction des toilettes. Quand j'ai baissé mon pantalon blanc préféré, il y avait tant de sang qu'on se serait cru sur la scène d'un crime ! J'ai tout enlevé sauf mon chemisier, qui était indemne, et j'ai dû faire la lessive dans le lavabo des toilettes. Heureusement, j'étais dans le cabinet pour personnes à mobilité réduite ! J'ai enroulé mon string mouillé de papier toilette pour me faire une serviette hygiénique temporaire, enfilé mon pantalon, mouillé lui aussi, et je suis partie à la recherche d'une femme qui pourrait me procurer un tampon.

L'hôtesse croisée en sortant n'en avait pas. Je connaissais l'âge de ma copine et je me doutais qu'elle n'en aurait pas non plus. Bref, je n'ai plus bougé de la soirée, serrant mes jambes de toutes mes forces pour garder bien en place cette couche maison entre mes cuisses. Ma gêne était si forte que je ne pouvais plus me concentrer sur quoi que ce soit d'autre.

Les menstruations irrégulières m'ont fait vivre d'autres aventures ! Par exemple, il m'est arrivé à maintes reprises de penser que j'étais enceinte. Pendant 6 mois, à l'âge de 48 ans, j'ai fait des tests de grossesse à répétition. Même si je savais que c'était peu probable, je ne pouvais pas m'en empêcher. Avec le recul, je me dis que j'étais pas mal dans le champ. En effet, quelles sont les chances de tomber enceinte quand la libido est si basse que les ébats amoureux ont presque disparu de notre vie ?

Pendant votre préménopause, vous n'allez plus reconnaître votre corps ni votre personnalité. Parfois, ce sera difficile de vous ajuster à ces nouvelles réalités. Je vous conseille d'accueillir ces changements et de faire preuve de patience et d'amour envers vous-même. Une fois passée cette période difficile, vous vous sentirez libérée du poids immense que vous aviez sur les épaules depuis longtemps… Je vous le promets !

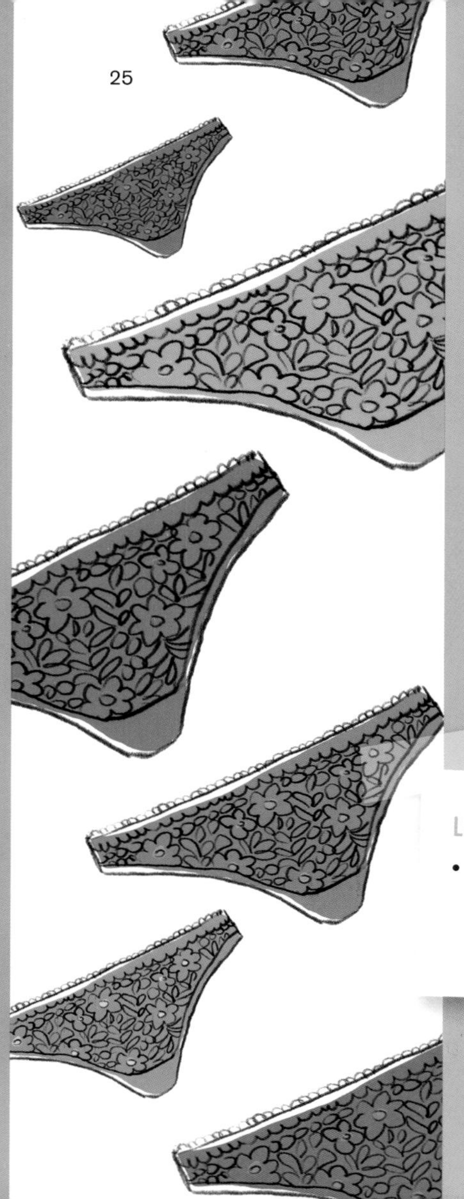

MES CONSEILS :

Évitez de porter du blanc.

Achetez des draps de couleurs foncées.

Gardez des serviettes hygiéniques ou des tampons pour flux abondant dans tous vos sacs à main. Cela m'a sauvée plus d'une fois d'une situation embarrassante.

Ayez toujours sur vous des lingettes humides.

N'hésitez pas à faire des tests de grossesse pour vous rassurer – vous finirez par en rire.

LES CONSEILS DE LISA :

- Pensez à consulter un homéopathe ; l'homéopathie fait des merveilles pour rééquilibrer les hormones et régulariser les règles et le flux menstruel.

Symptôme n° 5

L'ANXIÉTÉ

L'anxiété ne prévient pas, elle surgit de nulle part. Je lui ai parlé à maintes reprises. J'ai voulu négocier avec elle. Je l'ai suppliée d'aller voir ailleurs si j'y étais. J'ai même juré sur la tête de ma mère que j'allais devenir une meilleure personne si elle me lâchait. Rien n'y a fait.

Cette intruse n'a pas d'heure, de raisons d'être, d'élément déclencheur, et elle s'immisce en vous sans aucun avertissement. Quand elle a terminé son œuvre sombre, elle quitte votre corps comme elle est arrivée, elle disparaît, elle s'évanouit. C'est une vraie magicienne.

Vous vous êtes réveillée enjouée et, subitement, vous manquez d'air. Une réunion de travail stimulante se transforme en calvaire, un souper entre amis, en supplice.

Attention, l'anxiété que vous ressentez ne signifie pas que vous devenez folle, que vous perdez pied et que vous n'allez plus jamais retrouver la paix de l'esprit. Il s'agit d'un symptôme comme un autre, causé par votre corps qui compose avec une carence hormonale. Tâchez de ne pas l'oublier quand vous avez soudainement le souffle court ou que vous avez l'impression que votre tête et le reste de votre corps sont dissociés en deux parties indépendantes.

À chaque fois que l'angoisse pointe le bout de son nez, une joute verbale se joue dans ma tête :
« Je vais mourir.
– Mais non, tu connais la chanson, ce n'est qu'une autre crise d'anxiété. Tu es toujours passée à travers.
– Oui, mais peut-être pas cette fois-ci. On dirait que c'est un infarctus ! »
– Arrête ton cinéma et calme-toi ! »
Cette confrontation, je la connais par cœur. Ces signes physiques, je les vis encore au quotidien. Avec les années, j'ai appris à les accueillir au lieu de les fuir…

Comment sortir de l'étreinte de l'angoisse ? Respirez profondément ou chantez. Ou bien allongez-vous n'importe où, oui, je dis bien n'importe où, et prenez une grande inspiration abdominale, et remplissez-vous le plus possible d'air. Puis expirez lentement en simulant le son d'un serpent : « Sssssssss… » Concentrez-vous sur cette expiration lente. Répétez l'exercice jusqu'à ce que vous commenciez à bâiller. Je vous assure que cet exercice m'a « sauvé la vie » maintes et maintes fois.

Trouvez l'outil qui sera le plus efficace pour vous et qui vous aidera à sortir de cet état de panique récurrent. Est-ce le yoga, la méditation, des granules homéopathiques ? Avec le temps, les crises se feront de plus en plus rares, et un sentiment de victoire prendra délicieusement leur place.

MES CONSEILS :

Écoutez une chanson que vous aimez et chantez à vous époumoner !

Respirez de l'huile essentielle de lavande, un calmant naturel utilisé en aromathérapie.

Faites du ménage, ça calme les nerfs.

Parlez-en avec une personne rassurante.

Prenez ce que votre naturopathe, ou homéopathe, vous a conseillé.

Pigez dans votre boîte à petits bonheurs (une boîte remplie de petits mots qui vous rendent heureuse), si vous en avez une. Sinon, il serait grand temps de constituer la vôtre !

LES CONSEILS DE LISA :

- Le mélange SAMe, 5-HTP et GABA aide à apaiser le système nerveux.
- En teinture mère, le mélange herbal de basilic sacré, rhodiola et ashwagandha permet de calmer et de tonifier le système nerveux.
- Découvrez l'EFT, ou *tapping*, et utilisez cette technique très efficace à l'endroit où surgit l'anxiété. C'est étonnamment efficace!

Symptôme nº 6

LA DÉPRESSION

Avec ce long passage à vide qu'a été la traversée de la préménopause, je me suis sentie déboussolée et abattue, et ces mots sont bien faibles. Pensez-y, j'avais des troubles de sommeil, je voulais arracher la tête de tout le monde, je vivais des crises d'angoisse à répétition, je ne ressentais plus de désir pour mon chéri, j'avais mal partout, je croyais être atteinte de la maladie d'Alzheimer, et j'en passe ! Ce n'est donc pas surprenant que, voyant ma mine déconfite et mon visage éploré, mon médecin m'ait proposé des antidépresseurs.

Mon état dépressif était aussi fluctuant que la Bourse. L'idée de me suicider m'a souvent traversé l'esprit et j'ai la chair de poule en me rappelant ces moments. Je me suis mise à me poser des questions existentielles du genre : « À quoi bon ? Pourquoi suis-je sur terre ? Tout ça pour quoi ? » J'ai passé des mois habitée par un sentiment de profonde tristesse. Je m'habillais en vêtements « mous », je n'avais plus envie de me doucher, de me maquiller, de me coiffer. J'évitais de parler à quiconque ou même de voir ma mère par peur d'éclater en sanglots et de ne plus jamais pouvoir m'arrêter. J'éprouvais un désir profond de disparaître.

C'était surtout au petit matin que mes descentes aux enfers étaient vertigineuses.

J'ai le souvenir d'avoir rédigé, à maintes reprises, dans ma tête, des lettres d'adieu personnalisées à mon amoureux, à ma mère, à ma sœur, à ses enfants, à mon frère, à ses trois fils, à mes amis… Je crois que c'est le manque de courage et ce qui restait de mon esprit combatif d'avant qui m'ont empêchée de basculer totalement. Je dois également mon salut à Lisa, mon homéopathe, avec laquelle j'ai eu de nombreuses conversations téléphoniques. Avec sa voix rassurante, elle me posait les bonnes questions et me prescrivait des granules magiques destinées à contrer mes pensées sombres.

Notre mental est fragile, on le réalise pleinement après avoir côtoyé notre côté obscur…

La dépression a fait de nombreuses victimes dans mon entourage féminin. Des sondages disent que, chez les femmes âgées de 45 à 64 ans, une sur quatre reçoit un traitement contre la dépression. L'une des premières causes est le stress lié aux symptômes de la préménopause. L'explication est simple : l'œstrogène et la progestérone sont deux hormones qui sont reliées aux centres nerveux de notre cerveau, qui régulent et contrôlent l'humeur. Quand le niveau de ces hormones diminue, particulièrement celui d'œstrogène, des périodes de profonde tristesse proches de la dépression peuvent nous assaillir.

SI CE N'EST QUE CETTE FOIS, SUIVEZ MES CONSEILS D'AMIE :

Consultez des professionnels de la santé aux premiers signes de dépression. N'ayez pas honte de ce qui vous arrive.

Ne vous isolez pas. Restez en lien avec votre famille et vos ami(e)s.

Partagez vos états d'âme avec vos proches et n'ayez pas peur de pleurer.

Gardez confiance : cet état est temporaire.

LES CONSEILS DE LISA :

- Le mélange SAMe, 5-HTP et millepertuis améliore l'humeur.
- En teinture mère, le mélange herbal de basilic sacré, rhodiola et ashwagandha permet de calmer et de tonifier le système nerveux.
- Découvrez l'EFT, ou *tapping*, et utilisez cette technique dès que vous sentez venir un épisode dépressif. Exercez-vous aussi à la méditation de pleine conscience pour vous ancrer dans le moment présent et vous recentrer.

GRRR !

Symptôme n° 7

L'IRRITABILITÉ

Avant toute chose, un mea-culpa général et public s'impose. À ma famille, mes amis, mes collaborateurs ainsi qu'à tous les policiers, pharmaciens, caissiers, informaticiens, douaniers, vendeurs, concierges, téléphonistes, préposés, fournisseurs, voisins, chauffeurs ou réceptionnistes que j'ai croisés lors de mes phases d'irritabilité, je demande de m'excuser de les avoir pris pour des têtes de Turc, des souffre-douleurs, des *punching bags*, des boucs émissaires. Appelez-vous comme vous voulez, vous avez tous écopé !

J'ai rapidement perdu le compte du nombre de fois où j'ai pété ma coche. Tout était devenu une source d'irritabilité. Tout était prétexte à râler et à remettre quelqu'un à sa place. Au travail, dès que je ressentais le besoin de me défouler, je prenais le premier fournisseur qui avait besoin d'être rappelé à l'ordre et je lui déversais mon fiel sans aucune mesure. Il n'y a qu'avec les aînés, hommes et femmes, et avec les enfants que je parvenais à me contenir.

Le bruit m'insupportait, alors que des travaux majeurs se déroulaient dans l'immeuble de mon bureau. Les problèmes informatiques me faisaient sortir de mes gonds. Les embouteillages me rendaient folle. Les files d'attente, le manque de service, les retardataires, un petit bobo, un cil dans l'œil, un soutien-gorge trop serré, un pneu dégonflé, un vol en retard, une bouffée de chaleur, tout était prétexte à une déflagration. Mes paroles et mes gestes dépassaient toujours ma pensée. Combien d'actes insensés ai-je commis ? J'étais habitée par un lion qui rugissait continuellement.

Je me tapais moi-même sur les nerfs !

Sans compter que déployer autant d'énergie à se battre quotidiennement, c'est épuisant. Sans parler des remords qui vous assaillent après coup et vous pourrissent la vie.

J'ai abordé ce sujet avec plusieurs femmes, et elles m'ont toutes dit la même chose : qu'elles avaient peur de commettre un acte irréparable tellement la rage et la colère prenaient le dessus par moments. L'une d'entre elles m'a affirmé que son bouillonnement interne était tellement puissant qu'elle croyait que son corps allait à la fois exploser et imploser. Ça m'a rassurée de savoir que je n'étais pas la seule à vivre ces sensations !

Attention, si votre chéri se transforme en « bombe à retardement » et qu'il est de votre génération, il est fort probable qu'il soit lui aussi victime de ce symptôme. Vous savez, l'andropause fait autant de ravages chez les hommes que la préménopause chez les femmes !

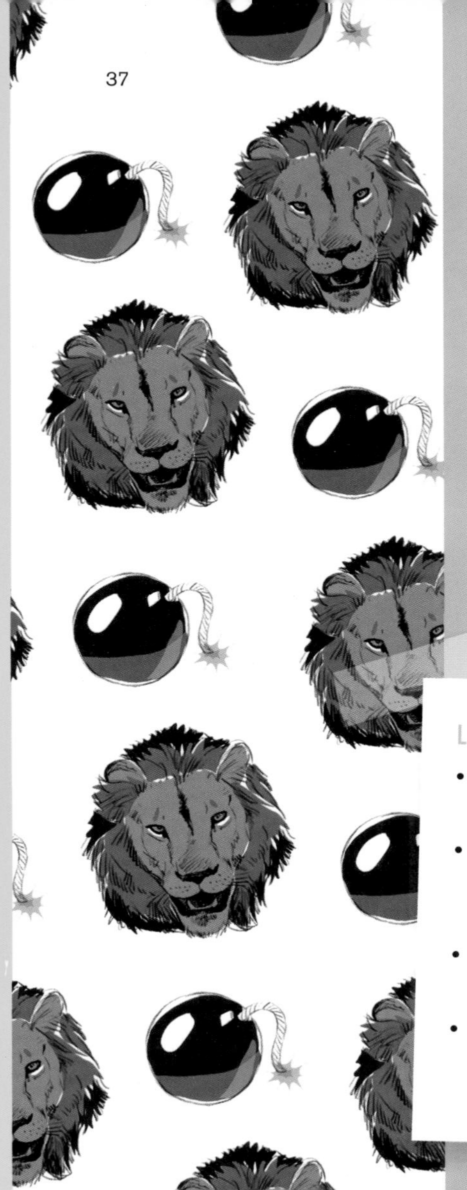

MES CONSEILS :

Évitez les situations qui vous irritent en temps normal.

Ne mordez pas aux hameçons qu'on vous tend.

Prenez quelques grandes respirations.

Méditez. J'aurais dû m'y mettre plus tôt ! Je crois sincèrement que mes crises auraient été moins violentes.

Avouez à vos proches que vous êtes à cran.

Demandez qu'on vous pardonne si crise il y a eue.

LES CONSEILS DE LISA :

- Le mélange SAMe, 5-HTP et millepertuis améliore l'humeur.
- En teinture mère, le mélange herbal de basilic sacré, rhodiola et ashwagandha permet de calmer et de tonifier le système nerveux.
- Découvrez l'EFT, ou *tapping*, et utilisez cette technique dès que vous vous sentez irritable.
- Exercez-vous aussi à la méditation de pleine conscience pour vous ancrer dans le moment présent et vous recentrer.

Symptôme n° 8

LES SAUTES D'HUMEUR

Je l'aime.

Je ne l'aime pas.

Je l'aime.

Je ne l'aime pas.

Je l'aime…

J'ai nommé ce phénomène la phase des états antinomiques. Il m'arrivait même parfois de subir plusieurs états contraires en même temps ! Comme un ciel d'orage percé d'un arc-en-ciel. Par exemple, un matin, je me rappelle m'être mise à pleurer alors que j'avais du soleil plein la tête. J'étais incapable de nommer l'émotion qui suscitait ces larmes. Comme si ma tête et mon cœur étaient deux entités distinctes.

Personne n'y échappait : mon amoureux, ma famille, ma belle-famille, mes amis, mes collègues, le chien, moi-même ! Dans mon cerveau, les pensées contradictoires se télescopaient : « Je déteste mon boulot. Ces clientes et moi, nous ne partageons pas du tout les mêmes valeurs.

Je vais leur dire d'aller voir ailleurs… » Et le lendemain, je me surprenais à penser : « Elles sont sympas, quand même ! »

Un autre jour, j'avais le cœur léger en marchant dans la rue par une journée ensoleillée, puis, croisant un sans-abri, j'éclatais en sanglots.

Je passais ainsi d'une joie pure à une peine abyssale ou d'une compassion extrême à une totale insensibilité. J'éprouvais de la satisfaction puis une profonde amertume, je sautais d'un état paisible et patient à une impatience sans borne. J'étais tolérante le matin et intolérante l'après-midi.

Je vous accorde que ces sautes d'humeur sont on ne peut plus déconcertantes pour tous les malheureux qui papillonnent autour de nous. Dire que, dans ces moments, nous ne sommes pas faciles à cerner est un véritable euphémisme. Les conversations sont surréalistes, épuisantes et énervantes.

Le fait d'en prendre conscience a été un remède en soi. En effet, quand j'ai réalisé que mes hauts et mes bas étaient une conséquence directe du ralentissement de ma machine à hormones, mes « grands écarts » d'émotions sont devenus plus faciles à expliquer. J'ai ainsi réussi à faire comprendre à tout le monde ce que je subissais, et à me faire pardonner. Il a cependant d'abord fallu que je me pardonne à moi-même. Puis nous en avons tous ri !

LES CONSEILS DE LISA :

- Le mélange SAMe, 5-HTP et millepertuis améliore l'humeur.
- En teinture mère, le mélange herbal de basilic sacré, rhodiola et ashwagandha permet de calmer et de tonifier le système nerveux.
- Découvrez l'EFT, ou *tapping*, et utilisez cette technique dès que vous vous sentez devenir instable.
- Exercez-vous aussi à la méditation de pleine conscience pour vous ancrer dans le moment présent et vous recentrer.

Symptôme n° 9

LA SÉCHERESSE VAGINALE

Vous allez décidément tout savoir sur ma vie… Parlons donc de lubrifiants ! Avant la préménopause, je n'y avais jamais eu recours pour faciliter mes rapports sexuels. Un peu de salive pouvait parfois être nécessaire, mais si la durée et la qualité des préliminaires étaient au rendez-vous, j'accueillais le sexe de mes partenaires sans produit lubrifiant. Au fil du temps, j'ai remarqué que la pénétration était plus difficile, mais j'ai attribué cela à ma baisse de libido.

Un soir, après une mise en bouche constituée de petits rituels coquins qui m'émoustillent, j'ai constaté que j'étais aussi humide que le désert du Sahara. Puisque j'éprouvais l'envie de faire l'amour, alors que c'était de plus en plus rarissime à cette période, j'ai tout de même insisté pour passer à l'acte… avant de me crisper de douleur. Le membre de mon conjoint était comme du papier sablé et ses va-et-vient ponçaient les muqueuses de mon vagin. Ma douleur fut tellement palpable que mon homme en a eu des frissons de compassion. Toute envie future venait d'être tuée dans l'œuf ! Je venais de ressentir ma première sécheresse vaginale.

Les nombreux symptômes de la préménopause associés à la vie sexuelle (perte de libido, moindre capacité à atteindre l'orgasme, sensibilité des seins, sécheresse vaginale) comportent leur lot de défis pour un couple. Le plus difficile pour moi fut de faire face au sentiment de culpabilité perpétuelle. Je me sentais coupable de ne plus mouiller, de frustrer mon partenaire, d'inventer des excuses à gogo, de fuir les gestes d'intimité, de ne plus jouer mon rôle de conjointe et de femme. Cette préménopause était synonyme de source inépuisable de frustrations. Dès que j'avais réussi à apprivoiser une situation sur laquelle je n'avais aucun contrôle, voilà qu'un autre symptôme surgissait de nulle part ! Allions-nous pouvoir en sortir indemnes ?

Cet inconfort est lui aussi imputable à la chute du taux d'hormones, plus spécifiquement d'œstrogène. Oui, cette hormone a des vertus ! Chez certaines femmes, la sécheresse vaginale peut aussi occasionner des démangeaisons et des saignements lors des rapports sexuels. Mais, bonne nouvelle, il existe des produits pour éviter de vous sentir aride. Pour conserver une muqueuse bien hydratée et moins fragile, il est conseillé d'utiliser des lubrifiants naturels, sans parfum et ayant un pH neutre. Il existe des hydratants et des lubrifiants vaginaux, sous forme d'applicateurs préremplis de crème, qui restaurent l'hydratation pendant trois jours et qui rendent les rapports nettement moins douloureux. Le seul bémol à ce type de produit est que vous devez l'utiliser un à deux jours avant vos ébats amoureux, ce qui laisse peu de place à la spontanéité ! Sinon, je vous conseille de trouver, dans les boutiques de produits naturels, des lubrifiants qui pourront vous dépanner quand l'envie vous en prend !

Un petit mot d'encouragement pour conclure. Sachez que depuis que je suis ménopausée, mes organes sexuels ont retrouvé leur forme olympienne : l'inconfort associé à la pénétration a disparu et le plaisir de faire l'amour est revenu !

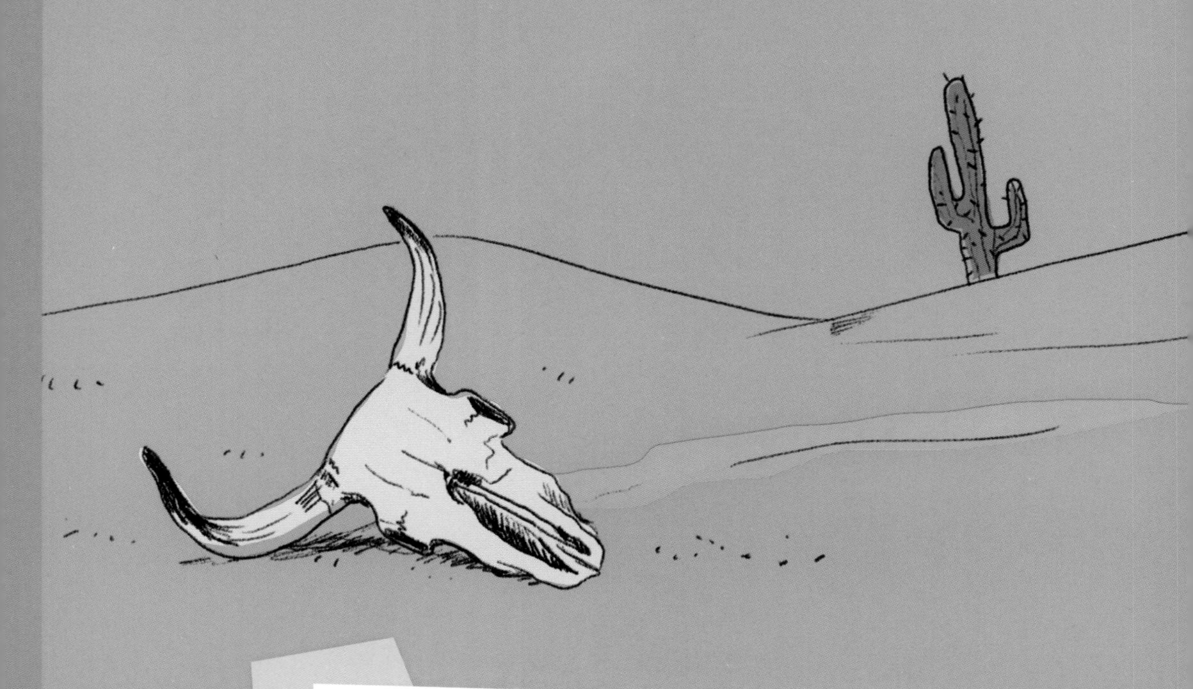

LES CONSEILS DE LISA :

- Utilisez une crème à base d'igname sauvage pour augmenter l'élasticité des tissus.
- Essayez l'huile de noix de coco, un lubrifiant naturel, pour prévenir les lacérations vaginales pendant les rapports sexuels.

Symptôme n° 10

LES MAUX DE TÊTE

Les changements hormonaux engendrent souvent des maux de tête. Alors, si vous avez fréquemment des maux de tête avant vos règles, il est fort probable que vous dégustiez pendant la préménopause. Et, comble de malheur, il se peut que ces maux perdurent une fois que vous serez ménopausée, comme ce fut mon cas. « Chez les femmes sujettes aux migraines, les maux de tête augmentent de 50 à 60 % pendant la préménopause et la ménopause », résume le Dr Vincent Martin, professeur de médecine à l'Université de Cincinnati à l'origine d'une étude effectuée sur le sujet. Dans cette étude, les patientes étaient considérées comme migraineuses à partir de plus de 10 maux de tête par mois. Pour ma part, j'en subissais plus que ça.

Je me réveillais la nuit avec le cou raide, la tête qui voulait exploser et la mâchoire vissée. Une douleur si violente qu'elle me donnait envie de hurler ou de frapper quelque chose ou quelqu'un. Au fil du temps, la fréquence a augmenté et la durée couvrait plusieurs jours consécutifs. Je consommais des Tylenol toutes les quatre heures. Je ne supportais plus le moindre bruit, j'étais impatiente et colérique. Il faut le vivre pour le comprendre : la douleur, c'est usant. Je vivais avec, mais je commençais aussi à m'en plaindre. Une excuse de plus pour ne pas avoir à faire l'amour !

Et puis un jour, j'ai eu ma première migraine ophtalmique. J'étais en réunion de travail quand, soudainement, les visages de ceux qui étaient autour de moi ont pris l'allure d'un tableau de Picasso. Je voyais leurs traits découpés en morceaux. J'ai cligné des yeux, je les ai fermés, rouverts, et là, j'ai paniqué. Les visages étaient toujours déformés. Je me suis précipitée aux urgences, complètement épouvantée par ces visions psychédéliques. Un spécialiste m'a expliqué que je venais de vivre un épisode de migraine ophtalmique et que ça pouvait se reproduire à n'importe quel moment. Il m'a prescrit des pilules et ciao-bye. J'aurais aimé qu'il précise que c'était sans doute lié à la préménopause, au lieu de me laisser dans le néant.

J'ai appris récemment que je souffre de céphalées cervicogénes, c'est-à-dire que mes maux de tête proviennent de mes cervicales. C'est une douleur qui part du cou et se propage vers les yeux, le front ou les tempes. C'est assez fréquent. La douleur s'amplifie si l'on crispe les mâchoires en dormant, ce qui était mon cas. Et vous, faites-vous partie du joyeux club des femmes qui crispent les mâchoires ? Si c'est le cas, vous avez des lignes blanches dans la bouche au niveau des mâchoires. Votre dentiste peut corriger cela avec un appareil dentaire qui a pour effet d'atténuer ce type de maux de tête.

Morale de l'histoire : parlez-en à votre docteur, car vous ne méritez pas de souffrir !

CE QUE J'AI ENTREPRIS POUR RÉDUIRE LA DOULEUR :

Des séances en chiropractie pour débloquer le cou.

Des traitements en ostéopathie, en acupuncture et en homéopathie.

J'ai arrêté de manger tous les aliments déclencheurs de migraine comme le chocolat et ceux qui contiennent des sulfites.

LE CONSEIL DE LISA :

- Pensez à consulter un homéopathe; l'homéopathie fait des merveilles pour éliminer les migraines et les maux de tête d'origine hormonale.

Symptôme nº 11

LA SENSIBILITÉ DES SEINS

J'ai de petits seins. Est-ce pour cela que ce symptôme ne m'a jamais frappée ? Qui sait… Mais peu importe la raison, je les aime encore plus depuis que j'ai recueilli les témoignages de mes amies !

Nathalie, ma copine de Bordeaux, a été la première à me raconter ses problèmes de glandes mammaires. « Gonflements, tensions, douleurs, tout d'un coup, l'état de tes seins te fait croire que tu es enceinte alors que ta condition de préménopausée rend la chose très improbable. »

Auparavant, les seins de Nathalie étaient sensibles aux caresses et douloureux pendant le SPM. Mais du jour au lendemain, cette zone est devenue un territoire interdit. Si son amoureux tentait un geste dans cette direction, son corps se cabrait et elle se mettait en position de défense ! Pas touche ! Elle dut changer de taille de soutien-gorge et elle ne s'est pas encore habituée aux bonnets E… Je connais des femmes qui seraient heureuses de changer de taille de bonnets et de se retrouver du jour au lendemain avec les gros seins dont elles rêvaient ! Le malheur des unes peut faire le bonheur des autres.

Ma sœur, elle, a ressenti une hypersensibilité un soir, en enlevant son soutien-gorge. Ses seins semblaient lourds et tiraient vers le bas. Ils étaient gonflés à bloc, mais ne paraissaient pas plus gros. La sensation était désagréable. Quelques jours plus tard, elle a éprouvé une douleur fulgurante quand sa fille de 12 ans s'est jetée dans ses bras pour l'enlacer. Depuis, elle dit que ses seins mènent leur propre vie. Elle n'a pas trouvé de déclencheurs à ces épisodes de douleur et elle a arrêté d'en chercher.

En poursuivant ma petite enquête, j'ai découvert que certaines femmes n'endurent même plus leurs soutiens-gorge, tellement leur poitrine est à fleur de peau. Chez certaines, le mamelon durcit à tel point que n'importe quel tissu les incommode. C'est on ne peut plus pratique !

Une autre amie m'a avoué qu'elle était obligée de dormir avec un coussin entre les seins parce que le poids d'un sein sur l'autre était insoutenable. On m'a aussi parlé de douleurs lancinantes intenables qui en ont fait courir plus d'une chez son médecin.

Si vous expérimentez ce symptôme, sachez donc que vous n'êtes pas seule dans cette galère.

LES CONSEILS DE LISA :

- Adoptez une diète végétarienne, réduisez le sucre, la caféine (en particulier le café) et l'alcool. Prenez aussi des suppléments d'algues ou de varech pour l'iode qu'ils contiennent.
- Essayez l'huile d'onagre, à raison de 500 à 1000 mg par jour.

APRÈS CE PORTRAIT PLUTÔT SOMBRE, VOICI QUELQUES TRUCS POUR VOUS SOULAGER :

Dormez nue.

Prenez l'habitude de dormir sur le dos.

Insérez des coussinets faits de matières douces dans vos soutiens-gorge, même si vous regrettez votre bonnet C.

Réduisez votre consommation de sel, de caféine et de gras : des recherches scientifiques ont montré un lien avec la sensibilité des seins.

Essayez de mettre de la glace sur vos seins : beaucoup de femmes trouvent que ça soulage les douleurs lancinantes.

Messieurs, mesdames, évitez de toucher votre amoureuse dans cette zone, en tout cas si vous tenez à la vie !

Symptôme nº 12

LES TROUBLES DU SOMMEIL/L'INSOMNIE

J'ai toujours eu un sommeil profond et réparateur. J'aime me vautrer sur mon lit, étreindre mes oreillers et dormir de 8 à 10 heures d'affilée. La perspective d'une bonne nuit constitue l'un de mes petits bonheurs préférés de la journée.

À une époque, je pouvais m'endormir partout. Il m'arrivait de piquer des petits sommes pendant l'heure du midi, roulée en boule sous mon bureau, afin de me remettre de mes grandes soirées. Je pouvais m'endormir assise dans un autobus cacophonique, pliée en deux dans un fauteuil d'avion ou en plein party sur un canapé. Bref, comme me disait mon ex-mari insomniaque : « Mirella, ton sommeil est ta plus grande richesse ! »

Je tenais donc ma relation avec le sommeil pour acquise. Je croyais, à tort, que Morphée et moi, nous avions signé un pacte à vie.

Souffrir d'insomnie a été catastrophique. Mon monde s'est s'écroulé. Comment allais-je pouvoir affronter de longues journées avec une telle carence en zzz zzz… ?

M'endormir n'était pas le problème. Je tombais avant même que ma tête n'effleure l'oreiller. Mais ce sont les innombrables réveils à des heures bien précises qui m'ont épuisée : 2 h 22, 3 h 33 ou 4 h 44 ! L'heure affichée sur la télé me rappelait sans arrêt à quel point le temps passe lentement quand il fait noir et qu'on n'arrive pas à se rendormir. Je n'avais qu'une idée fixe : dormir sans me réveiller !

La nuit, c'est aussi le moment où les mauvais esprits se manifestent et viennent nous hanter, où des broutilles prennent des proportions hors normes et où les petits problèmes de l'existence gonflent sans jamais exploser. Ma vie plutôt sympa me paraissait cauchemardesque et j'avais l'impression qu'une multitude de hamsters diaboliques avaient élu domicile dans ma tête et ne voulaient plus déménager !

Ma bonne humeur matinale légendaire n'était plus au rendez-vous et je démarrais chaque journée du mauvais pied !

Heureusement, c'est à nouveau ma naturopathe qui m'a sauvée en me conseillant de prendre de la mélatonine.

Il m'arrive encore de me réveiller la nuit, mais le zoo dans ma tête ne m'empêche plus de me rendormir à 4 h 44.

JE PARTAGE AVEC VOUS QUELQUES PETITS TRUCS QUI M'ONT AIDÉE :

Ne lésinez pas sur la mélatonine à effet prolongé, ce n'est pas addictif.

Répétez-vous un mantra, ou une phrase apaisante.

Ne vous énervez pas (plus facile à dire qu'à faire…).

Pensez à des moments qui vous ont rendue heureuse (pour moi, c'était le son des vagues sur une plage de Bali).

Comptez les moutons, ou tout autre animal apaisant.

Évitez de manger des aliments difficiles à digérer… (pour ma part, j'ai banni, le soir, tout ce qui provenait du cochon).

LES CONSEILS DE LISA :

Essayez la mélatonine.

- Cette hormone est produite naturellement par le cerveau pour déclencher l'envie de dormir. Sa production journalière diminue avec l'âge.
- Si vous avez du mal à vous endormir, prenez la version sublinguale à libération immédiate; si vous avez de la difficulté à rester endormie, préférez la version à libération prolongée.
- Commencez par 2 mg chaque soir et, si nécessaire, augmentez jusqu'à un maximum de 10 mg.

2
3
4
5
9
10
12
16
17
18
19
22
23
24
25
30
31

Symptôme n° 13

L'HÉMORRAGIE UTÉRINE ET LES SAIGNEMENTS INTERMENSTRUELS

Sur les 35 symptômes répertoriés, 5 m'ont été épargnés, dont l'hémorragie utérine et les saignements intermenstruels. Chanceuse, n'est-ce pas ? J'ai véritablement compris ce à quoi j'avais échappé lorsque mon amie Cat m'a raconté ce qu'elle avait enduré ! J'avoue avoir savouré cette petite victoire sur les hormones !

Depuis plus d'un an, Cat avait des règles si abondantes qu'elle se réveillait quatre à cinq fois par nuit pour changer de serviette hygiénique. Ses menstruations duraient de sept à huit jours, dont cinq jours d'hémorragie intense. À cela s'ajoutaient des saignements intermenstruels. Elle avait littéralement l'impression de se vider de son sang.

Mon amie qui avait, d'habitude, de l'énergie à revendre, était à bout de souffle, fatiguée et déprimée. Ne se reconnaissant plus, elle a décidé d'en parler à son pharmacien. Il lui a recommandé de faire une analyse de sang pour déceler une éventuelle anémie. Il avait vu juste : son taux de fer était à 50 % de ce qu'il aurait dû être, en raison de ses pertes de sang abondantes.

Elle a pris des comprimés de fer, est sortie de son état léthargique, s'est habituée à son nouveau rythme menstruel et a retrouvé sa forme habituelle.

L'automne suivant, elle part faire de la plongée une semaine avec son conjoint dans les Caraïbes. Au retour, ils ont trois escales. Au cours de la première étape du voyage, elle sent que son sous-vêtement est souillé de matière visqueuse. En arrivant à l'aéroport, elle constate qu'elle doit changer de tenue et se laver. Rebelote à la deuxième escale, ses vêtements bienheureusement noirs sont à nouveau souillés. Elle s'estime chanceuse d'avoir en sa possession son bagage de cabine pour se sortir de l'embarras. En un quart d'heure environ, elle change quatre fois de tampon et double le dernier d'une serviette hygiénique. La dernière escale à Washington étant plus longue, son conjoint et elle décident de manger au restaurant. À la fin du repas, elle se lève de table. Du sang et des caillots de sang coulent le long de ses jambes et forment une flaque rouge sur le sol. Elle n'ose pas bouger, de peur de dévoiler aux clients ce qui lui arrive. Quand son amoureux lui demande ce qu'il se passe, elle éclate en sanglots.

« J'avais l'impression qu'on m'avait versé des litres de sang dans la culotte », m'a-t-elle raconté. Après avoir informé le personnel médical de l'aéroport qu'elle n'était pas en train de faire une fausse couche et qu'elle était sujette aux règles abondantes, elle se fait escorter en fauteuil roulant, car elle ne tient plus sur ses jambes, jusqu'aux toilettes les plus proches. Elle se déshabille dans une cabine et constate, médusée, que le sang gicle partout. Elle parvient tant bien que mal à se changer pour la troisième fois, empile les serviettes hygiéniques dans sa culotte et enroule un paréo autour de ses hanches. En pleurs, elle pense quand même à utiliser ses

vêtements souillés pour nettoyer les toilettes. Elle a beau aller mal, elle n'oublie pas le suivant !

Enfin arrivée chez elle à Montréal, elle pleure toutes les larmes de son corps sous la douche, épuisée par le cauchemar qu'elle vient de vivre.

Par la suite, Cat a fait une échographie et on lui a découvert un polype intra-utérin qui explique ces hémorragies intenses. Je lui ai appris depuis que l'oscillation des taux hormonaux, et plus spécifiquement du taux d'œstrogène, peut être un facteur de développement de polype intra-utérin.

Si vous avez des règles plus qu'abondantes, le souffle court sans faire d'effort particulier, et que vous ressentez une fatigue intense et inhabituelle, parlez-en à votre médecin sans plus tarder.

LE CONSEIL DE LISA :

- L'hémorragie utérine est souvent causée par des fibromes utérins bénins. Pensez à consulter un homéopathe. L'homéopathie permet de rééquilibrer les hormones et de stabiliser les épisodes hémorragiques jusqu'à ce que les fibromes disparaissent naturellement après la ménopause.

Symptôme n° 14

LES FLATULENCES

Un peu de statistique : nous produisons tous environ un demi-litre de gaz par jour, ce qui représente à peu près 14 pets. Croyez-moi sur parole, je ne faisais pas partie de la moyenne avant la préménopause. En effet, n'ayant jamais aimé me sentir gonflée du ventre, j'ai évité, toute ma vie, les aliments qui génèrent les ballonnements : les légumineuses, les pâtes et certains légumes comme le chou-fleur ou l'oignon. Et si, par malheur, j'avais des gaz, je préférais subir des crampes plutôt que de me lâcher devant mes proches. Tout l'inverse des enfants qui éclatent de rire à chaque fois qu'ils en laissent échapper un…

Au tournant de la quarantaine, j'ai commencé à avoir des problèmes de digestion. Mon corps s'est mis à fabriquer plus de gaz et, consternée, j'ai vu surgir dans mon quotidien les rots et les pets, que je parvenais à gérer avec la plus grande discrétion et beaucoup d'élégance.

C'est à la préménopause que j'ai perdu le contrôle, en particulier de mon sphincter. Jamais, au grand jamais, je n'aurais imaginé une seconde que mon corps était indépendant à ce point et pouvait mener sa propre vie. Quelle honte !

J'avais déjà pété sans le vouloir, en sautant sur mon trampoline ou en travaillant mes abdos. Là, c'était autre chose, alors que je n'avais apporté aucun changement à mon alimentation. Du jour au lendemain, je me suis retrouvée dans des situations gênantes. Ces manifestations se produisaient à tout moment de la journée, sans préavis, laissant flotter une odeur bien différente de celle de mon parfum. Le pire, c'était quand je me trouvais seule dans une pièce fermée avec peu de gens. Dieu merci, ils sont toujours restés discrets et silencieux ! Mais tout de même, quel embarras !

J'ai appris que les problèmes digestifs de tout genre sont tout à fait normaux lors de cette phase de transition hormonale. Les ballonnements, les crampes abdominales, les flatulences et les reflux sont très fréquents. En effet, la diminution du taux d'œstrogène dans notre organisme entraîne une augmentation du niveau de cortisol. C'est cette hormone qui a des effets néfastes sur notre système digestif.

IL N'Y A PAS DE SOLUTION MIRACLE À CES PROBLÈMES, MAIS VOICI QUELQUES CONSEILS JUDICIEUX RECUEILLIS AUPRÈS DES PERSONNES QUI M'ONT VOULU DU BIEN :

Supprimez le gluten.

Diminuez (ou supprimez) les produits laitiers.

Notez les aliments qui provoquent des ballonnements et évitez de les consommer.

Buvez beaucoup d'eau.

Diminuez votre consommation de sucre.

Mangez plus vert.

Réduisez les protéines animales.

Évitez de mâcher de la gomme.

Symptôme nº 15

LES PERTES DE MÉMOIRE

Il nous arrive à toutes et à tous d'oublier de petites choses ou de chercher nos mots de temps en temps. La fatigue, le manque de concentration ou le stress peuvent, notamment, provoquer ces ratés de notre mémoire.

En ce qui me concerne, j'ai une excellente mémoire et ça se sait autour de moi. Et elle me sert dans mon activité professionnelle, l'événementiel se résumant à la gestion de milliers de petits détails dont il faut se souvenir et à notre capacité à rebondir face à l'imprévu. Mais j'ai l'impression d'avoir une épée de Damoclès au-dessus de la tête, depuis que mon père a reçu un diagnostic de la maladie d'Alzheimer à l'âge de 58 ans. Inutile donc de vous préciser l'état d'inquiétude dans lequel je me suis trouvée lorsque je me suis rendu compte que je perdais la mémoire ! Que cette terrible maladie fasse partie ou pas de votre paysage, ce symptôme a de quoi vous troubler profondément.

Je connais les signes avant-coureurs de l'Alzheimer par cœur. Je les ai vu naître et se développer chez mon père. La panique s'est emparée de moi lorsque je me suis vue avoir des comportements similaires aux siens. Je cherchais mes mots. J'oubliais pourquoi j'étais allée vers le bureau d'une collègue pour la consulter. Je perdais le peu de sens de l'orientation que j'avais. Je ne me souvenais plus du titre d'un bouquin que j'avais dévoré, ou le nom d'un film qui m'avait plu. Les lundis matin, en arrivant à l'agence, j'éprouvais de plus en plus de difficulté à me souvenir dans le détail de mes activités du week-end.

Mon inquiétude teintée d'angoisse s'est transformée en véritable obsession. Je sortais les griffes à la moindre occasion si on me contredisait. Ma version des faits était toujours la bonne et les autres se trompaient assurément.

Puis, un jour, mon homéopathe m'a appris que l'œstrogène, cette hormone qui nous fait défaut pendant cette période, agit comme un « lubrifiant » pour le cerveau et que le corps a besoin de temps pour s'habituer à son absence. Quel soulagement ! J'ai baissé la garde et ai retrouvé mon sens de l'humour ! J'ai baptisé ces pertes de mémoire mes « moments Alzheimer ». Et ça faisait rire mon entourage.

J'espère vous avoir rassurée. Ne cédez surtout pas à la panique et n'allez pas faire tous les tests de mémoire disponibles en ligne pour dépister l'Alzheimer! Essayez plutôt d'en rire avec vos copines, en vous racontant vos épisodes de perte de mémoire.

Il va sans dire que le manque de sommeil n'aide pas au bon fonctionnement de vos neurones ! Alors tâchez de dormir de longues heures et, en attendant que ce symptôme s'estompe, notez tout, tout le temps.

LES CONSEILS DE LISA :

- Ajoutez généreusement et quotidiennement du curcuma à vos plats (ou un supplément de son ingrédient actif, la curcumine).
- Consommez tous les jours de 1-2 cuillères à soupe d'huile de coco (sur rôties, en vinaigrette, etc.).
- Procurez-vous un logiciel de programme d'entraînement cérébral et amusez-vous avec tous les jours. Le logiciel s'ajustera à vos performances en augmentant progressivement le niveau de difficulté.

Symptôme n° 16

L'INCONTINENCE/ LES SYMPTÔMES VÉSICAUX

Imaginez la première fois que ça vous arrive. Vous êtes en soirée avec des amis. Les cocktails aidant, vous vous êtes lancée sur la piste de danse et oups !, voilà votre culotte complètement mouillée ! Votre voix intérieure (un peu ralentie par les margaritas) vous rappelle à l'ordre : « Mince alors, j'aurais dû aller voir dame pipi avant de me déhancher… »

Mais les semaines suivantes, c'est en riant, en éternuant, en courant, en soulevant un colis, en vous démenant à votre cours de zumba ou en marchant que votre vessie s'active. Repérer les toilettes dans les endroits publics devient une obsession parce que, quand une envie vous prend, vous ne pouvez plus vous retenir comme avant. Le trajet Montréal-New York en voiture ne se fait plus sans d'innombrables pauses. Vous n'avez que 45 ans et aucun cheveu blanc à l'horizon, mais vous voilà condamnée à acheter des serviettes absorbantes, les yeux baissés devant la caissière à qui vous dites que c'est pour votre mère…

Je vous l'accorde, c'est loin d'être sexy !

Sachez cependant que le périnée est un muscle qui, comme tout autre muscle du corps, se travaille ! Il est caché sous le bas-ventre et soutient plusieurs organes, dont la vessie, le vagin et le rectum.

Un périnée bien musclé va non seulement vous éviter des problèmes d’incontinence, mais empêcher le relâchement de certains organes en vieillissant et multiplier les plaisirs de l’acte sexuel en le contractant lorsque vous jouissez !

La meilleure façon de le repérer, c’est d’interrompre à répétition le flot de votre urine.

C’est cette même contraction, que vous devriez pratiquer à n’importe quel moment de la journée, qui va vous permettre de le renforcer et d’éviter les petites gouttes dans votre slip. Prenez l’habitude de le contracter quelques secondes et de le relâcher, puis recommencez au moins cinq minutes par jour. Cet exercice peut se faire à tout moment de la journée, debout, assise ou allongée, sans que personne s’en aperçoive.

Cette pratique quotidienne m’a aidée, d’autant plus que je suis une adepte du trampoline individuel. Il y a bien eu quelques fuites au début, mais dès que j’ai compris comment contracter mon périnée, le tour était joué, et les accidents, évités. De plus, cette activité permet de se défouler et de travailler des parties du corps qui sont en plein bouleversement pendant cette période de remaniement hormonal !

La bonne nouvelle, c’est que ces fuites vont probablement disparaître dès que vous serez ménopausée !

DEUX PETITS TUYAUX :

Gardez en tout temps des serviettes absorbantes dans vos sacs à main.

Pour des problèmes plus importants, sachez qu'il existe des sous-vêtements « sexy » de la marque Viita, faits de fibres absorbantes lavables, antibactériennes, inodores, qui peuvent vous tenir au sec pendant huit heures.

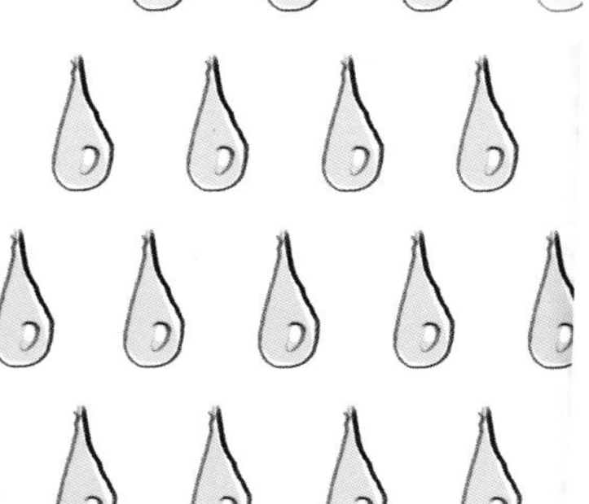

LES CONSEILS DE LISA :

- Les infections urinaires se font plus fréquentes à la préménopause, en raison de l'amincissement des tissus vaginaux. Essayez le D-mannose (avec extrait de canneberge) au premier signe d'infection urinaire.
- Pour l'incontinence, faites régulièrement des exercices de « musculation » pour raffermir et tonifier le plancher pelvien.

Symptôme n° 17

LA PRISE DE POIDS

J'ai grandi avec l'idée qu'il faut avoir un esprit sain dans un corps sain. Pour mon père, cela signifiait qu'il fallait se nourrir correctement et bouger. Malheureusement, quand j'étais une jeune ado, cette devise du corps sain m'a entraînée sur le chemin des régimes amaigrissants et des activités sportives extrêmes. Vous avez sans doute constaté que je ne fais pas dans la demi-mesure…

Dans la vingtaine, j'ai enchaîné les cours de danse aérobique à haute intensité, puis j'ai suivi la mode des cours de *step*. Dans la trentaine, j'ai pris des cours de boxe thaïe ainsi que me le rappelle douloureusement mon corps aujourd'hui… Au cours de la quarantaine, j'ai découvert les bienfaits de la course à pied, du roller et des séances de musculation. Vous pouvez donc imaginer mon désarroi lorsque j'ai découvert, il y a quelques années, que des amas de graisse se formaient là où je le redoutais le plus !

Pourtant, j'avais bien analysé la morphologie de mes parents et je savais ce qui m'attendait si je me laissais aller un tant soit peu. Malgré cela et presque du jour au lendemain, une bouée est apparue autour de ma taille, tandis tandis que mon postérieur s'arrondissait comme de belles miches dodues sortant du four.

J'avoue que j'avais ralenti mes activités physiques depuis un moment. J'étais moins assidue que dans le passé, mais mon alimentation n'avait pas changé. Je dirais même que je mangeais moins.

Si vous êtes, comme moi, aux prises avec des problèmes d'image corporelle depuis l'adolescence, ce symptôme est une véritable épreuve qui nous demande une forte dose d'amour-propre et d'indulgence. Il nous faut apprivoiser ce nouveau corps qui nous est imposé et savoir dire, avec élégance, au revoir à celui qu'on a sculpté depuis si longtemps.

Si, au contraire, vous n'avez pas ce genre de problème et que vous vous aimez inconditionnellement, sachez que je vous envie !

LES CONSEILS DE LISA :

- Je recommande le jeûne intermittent quotidien 18-6 : vous faites 18 heures consécutives de jeûne par période de 24 heures et vous vous nourrissez à l'intérieur d'un bloc de 6 heures (par exemple, de 13 à 19 heures). C'est excellent pour stimuler le système immunitaire et permet un meilleur contrôle du poids.

MES TRUCS POUR « DIGÉRER » CES KILOS EN TROP :

Quand je regarde des photos de moi à 30 ou 40 ans, je me trouve pas mal du tout. Cela me rassure car je me dis que dans 10 ans, je porterai le même regard sur les photos d'aujourd'hui !

Je m'efforce d'accepter mes rondeurs. Au lieu de les détester, je me les approprie.

Je fais des activités sportives que j'aime au moins trois fois par semaine (du trampoline, du vélo, du golf, de la marche, de la danse). Mon approche relève maintenant davantage de l'hédonisme que de l'ascétisme.

Je discute avec mes amies qui vivent les mêmes transformations. On se sent moins seule à plusieurs dans nos nouveaux corps !

J'ai changé de garde-robe et j'ai trouvé des formes de vêtements qui m'avantagent. Inutile de continuer de mettre ce magnifique haut moulant qu'on a tant aimé et qui nous boudine et nous rend ridicule…

Symptôme n° 18

LA TEMPÉRATURE CORPORELLE BASSE

Quand j'étais enfant, je me plaignais souvent d'avoir le bout des doigts, du nez et des orteils gelés. Ma grand-maman autochtone me disait que, vu ma grande taille, le sang prenait plus de temps à se rendre aux extrémités de mon corps. Quand ce symptôme est apparu, j'ai eu une pensée pour elle et je me suis demandé quelle histoire elle aurait inventée…

Ça peut paraître contradictoire de grelotter de froid quand, deux heures plus tôt, une bouffée de chaleur intense nous a fait friser les cheveux. Oui, je vous l'accorde, le concept est étrange ! Soyez prévenue, durant cette période peu banale de la préménopause, une surprise peut en cacher une autre !

Il y a quelques années, la température de mon corps s'est mise à chuter, par moments, comme si on m'avait plongée dans un bassin d'eau glacée. La moindre petite brise de bord de mer déclenchait en moi des frissons. Je devais enfiler une petite laine les soirs d'été caniculaires. En hiver, un feu de cheminée ne parvenait pas à me réchauffer ! Je me couchais vêtue de la tête aux pieds, et il fallait une heure avant que la température de mon corps revienne à la normale. Il m'arrivait régulièrement d'éternuer 20 fois de suite, me laissant croire que je couvais un rhume ou une grippe.

Sans aller dans des explications scientifiques pointues, voici un court résumé de ce qui se passe dans votre organisme. Lorsque la production d'œstrogène baisse, elle affecte une région située au cœur du cerveau qui s'appelle l'hypothalamus. Cette zone est impliquée dans la régulation de plusieurs fonctions, dont la faim, la soif, le sommeil, les émotions, le comportement sexuel et la température corporelle. La baisse d'œstrogène peut ainsi suractiver l'hypothalamus et induire une fausse alerte du genre « attention, le corps est en surchauffe », alors qu'il est à sa température normale.

Alors, si vous avez froid d'un coup, même en plein été, et que vous frissonnez pour un rien, il est fort probable que vous viviez des « bouffées de froideur ». Il se peut qu'une bouffée de chaleur survienne après vos multiples tentatives de réchauffement ! Pas de panique, c'est tout à fait normal. Votre cerveau ne sait plus sur quel pied danser !

MES CONSEILS :

Ayez en tout temps avec vous une écharpe, un chandail ou un coupe-vent.

Évitez de trop vous couvrir afin de ne pas déclencher de bouffée de chaleur et amorcer le cycle infernal chaud-froid-chaud-froid.

Prenez des bains tièdes.

Buvez des boissons chaudes.

Couvrez les extrémités de votre corps.

LES CONSEILS DE LISA :

- Obtenez votre bilan thyroïdien (TSH, T3, T4). La préménopause s'accompagne souvent d'insuffisance thyroïdienne dont voici les principales manifestations : frilosité, perte de cheveux, gain de poids, sécheresse de la peau, dépression et constipation.

Symptôme n° 19

LA FATIGUE EXTRÊME

« Désolée, dois annuler apéro. EF »

« Peut-on reporter notre lunch STP ? EF… »

« Billets à donner pour spectacle de ce soir. En MP, SVP »

L'extrême fatigue (EF) a été mon excuse récurrente pendant de longs mois, et ma garde rapprochée a dû s'habituer à mes nombreuses annulations de dernière minute. La G.O. des soirées, la Superwoman qui avait de l'énergie à revendre, la copine toujours partante pour des soirées spontanées ou des week-ends improvisés n'était plus au rendez-vous.

Sans préavis, des vagues de fatigue m'ont prise d'assaut. Je ne vous parle pas de la fatigue normale que l'on ressent après une grosse journée de boulot, après avoir couru un marathon ou le lendemain d'un événement particulier. Mais plutôt celle du genre : « OMG, je n'arrive plus à bouger, mon corps est en manque de carburant, je me sens lessivée ! »

Du jour au lendemain, j'ai perdu mon élan, ma joie de vivre et ma motivation.

Fini les mille et un projets, l'agenda overbooké et les soirées planifiées en amont.

Fini les soupers bien arrosés jusqu'à pas d'heure. Quand sonnait 22 h, je lançais : « Un petit biscuit avant de partir ? » J'étais devenue méconnaissable. Cette fatigue perpétuelle a fait de moi une recluse et une adepte des week-ends pluvieux. Je restais clouée au lit, à me gaver de séries Netflix. La semaine, je prétextais des malaises imaginaires afin de justifier mes absences au boulot. J'avais l'impression d'avoir été transformée en paresseux, cet animal qui dort dix-huit heures par jour. J'étais une vraie loque humaine.

Je lui en ai souvent voulu, à cette préménopause qui m'a amputée de la quintessence même de ma personnalité et de mon énergie. Si ce symptôme vous tombe dessus, vous allez devoir, pendant un certain temps, faire le deuil de ce que vous êtes vraiment.

Aujourd'hui, je me suis « retrouvée » et cette période de ma vie s'est avérée très bénéfique. J'ai appris à mieux gérer mon temps, à choisir mes activités avec plus de bienveillance envers moi-même et à moins m'éparpiller futilement.

LES CONSEILS DE LISA :

- Vos glandes surrénales sont peut-être fatiguées. Procurez-vous un supplément à base de racine de réglisse, Saint Basile, pantéthine, ginseng, rhodiola, ashwaganda et vitamine C pour aider à les soutenir.

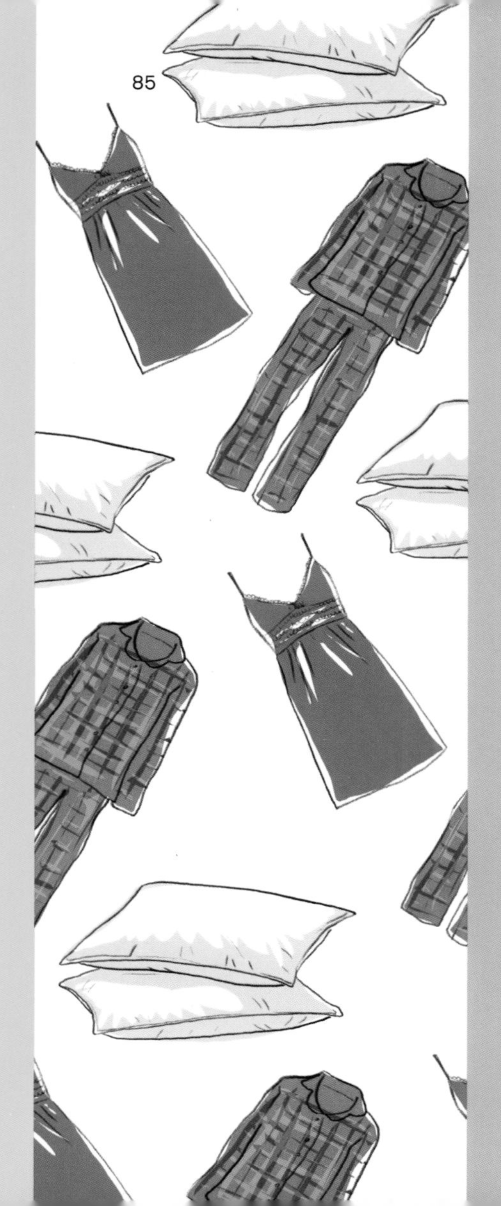

POUR VOUS AIDER À TRAVERSER CETTE PÉRIODE :

Faites une sieste avant de sortir le soir.

Demandez à votre médecin un bilan sanguin pour dépister une carence en vitamine D. C'était mon cas, et la prise de 10 000 UI de vitamine D par semaine a considérablement diminué ma fatigue.

Couchez-vous plus tôt, sans culpabiliser.

Évitez de manger de gros repas le midi.

Prenez des collations santé au courant de la journée (mais évitez les sucres qui sont assimilés trop rapidement par l'organisme).

Avouez à votre entourage que vous avez momentanément moins d'énergie.

Soyez patiente et indulgente envers vous-même.

Profitez de cette phase pour vous dorloter et ralentir votre rythme de vie.

Symptôme nº 20

LA CONSTIPATION

Ma mère a longtemps eu sur moi un effet laxatif. Un petit coup de fil et je courais aux toilettes ! À tel point qu'elle pensait, à juste titre, qu'elle me faisait chier… Freud aurait eu beaucoup à dire sur notre relation.

La constipation, qui veut en parler ?

Moi, car je crois que beaucoup de femmes vivent ce calvaire et n'en parlent pas assez.

Cette pathologie digestive courante touche de 15 à 30 % de la population, et en particulier les femmes ! Notre prédisposition à la constipation relève de l'activité hormonale, et c'est la raison pour laquelle les hommes sont moins concernés. Si vous êtes comme moi, ce problème surgissait juste avant vos règles. J'étais également constipée après avoir pris l'avion, quand je dormais chez des amis, au début d'une relation amoureuse, en période de stress, ou si je n'avais pas eu le temps de boire mon café le matin !

Malheureusement, ce problème ne s'améliore pas à la préménopause ! Préparez-vous à écrire la date de vos dernières selles sur un calendrier comme vous le faisiez pour vos menstruations ! De son côté, votre amoureux risque assurément d'écrire la date de vos dernières relations sexuelles sur le sien ! Elle est drôle, la vie, non ?

C'est à cette période qu'une pratique assez improbable est apparue dans ma vie : l'analyse de mes selles ! J'ai commencé à les étudier comme un proctologue l'aurait fait, mais pas pour les mêmes raisons. Je voulais juste savoir si je m'étais bien vidée.

C'est ainsi que, de recherche en recherche, j'ai découvert l'incroyable vocabulaire des selles.

Je vous assure que je n'ai jamais eu envie d'en apprendre le glossaire, mais j'avoue que les dénominations m'ont bien fait rigoler !

Ne vous méprenez pas, chères lectrices, je n'ai pas l'intention de discourir sur les différentes définitions, mais rions un peu, tant qu'à faire. Tortue, cornet de glace molle, soupe, lapin, saucisse, téflon, flotteur, saviez-vous que tous ces termes existent ? Moi, non.

Bon, assez de balivernes, la constipation n'est pas un symptôme agréable du tout. Je me souviens qu'après quatre ou cinq jours de calvaire, un rapide coup d'œil sur mon ventre dans la glace me renvoyait le profil d'une femme enceinte de plusieurs mois…

Si ce rituel matinal est aussi important pour vous que pour moi, vous risquez d'avoir une autre bonne excuse pour démarrer la journée de mauvais poil.

COMMENT Y REMÉDIER ?

Trouvez votre aliment laxatif de prédilection. Pour moi, ce sont les choux de Bruxelles et les rapinis – même aujourd'hui, quand on me voit ne manger que ça le soir, je n'ai pas besoin de me justifier ! Il existe d'autres laxatifs naturels comme les pruneaux, les graines de lin, les oranges, les artichauts, le gruau, le melon, le vinaigre de cidre, pour ne nommer que ceux-là.

Buvez beaucoup d'eau.

Bougez, ça accélère le transit !

Évitez de manger des aliments qui peuvent constiper comme les bananes, le riz, le fromage, le chocolat, les aliments frits...

LES CONSEILS DE LISA :

- Obtenez votre bilan thyroïdien (TSH, T3, T4). La préménopause s'accompagne souvent d'insuffisance thyroïdienne dont voici les principales manifestations : frilosité, perte de cheveux, gain de poids, sécheresse de la peau, dépression et constipation.
- Ajoutez des fibres à votre alimentation avec une combinaison de graines de lin, chanvre et chia (2 c. à soupe par jour). Augmentez aussi votre consommation de fruits, de légumes et d'eau. Faites plus d'exercice.

Symptôme n° 21

L'HYPOGLYCÉMIE RÉACTIONNELLE

L'hypoglycémie réactionnelle est un sujet controversé. Bien que certaines femmes disent en souffrir pendant la préménopause, d'aucuns considèrent que ce n'est pas le cas puisqu'elles ne répondent pas à tous les critères médicaux et que leur taux de glycémie s'avère tout à fait normal. De quoi en frustrer plus d'une, dont mon amie d'enfance !

Chantal a cherché en vain des explications à ses soudaines crises de « baisse de sucre ». Elle est convaincue, comme beaucoup d'autres femmes, que ce phénomène est lié au chaos hormonal propre à la préménopause.

Ses problèmes ont commencé au milieu de la quarantaine. Un jour, en plein travail, elle s'est mise à trembler « de l'intérieur ». Elle déparlait, son cerveau lui semblait embrouillé, elle se sentait étourdie, et une grande faiblesse s'est emparée de son corps. Pas très pratique pour quelqu'un qui a pour bureau principal sa voiture ! Son réflexe a été de s'arrêter pour manger quelque chose et, comme par magie, elle a aussitôt retrouvé ses esprits. Après plusieurs épisodes de ce genre, elle a consulté son médecin, qui lui a annoncé que son taux de glycémie était normal.

Elle a mené une petite enquête auprès de son entourage professionnel, dans le milieu pharmaceutique, ainsi que sur le web et a vite compris qu'elle vivait des crises d'hypoglycémie réactionnelle.

Elle a dû modifier radicalement ses habitudes alimentaires pour ne pas tomber en « hypo ». Son estomac, réglé comme une horlogerie suisse, réclamait à heure fixe de la nourriture. Pareille à un nourrisson, il lui fallait ainsi manger toutes les deux heures. Quelle plaie, car elle était justement aux prises avec des kilos en trop ! Mais que faire quand on n'a pas le choix de manger pour éviter de tomber dans les pommes ?

Chantal a pris les habitudes d'un écureuil. Elle cachait des collations partout : dans sa voiture, à son bureau, dans ses poches de manteaux. Elle avait tellement de cachettes qu'elle les oubliait. Elle m'a déjà avoué avoir découvert à plusieurs reprises des fruits pourris dans des Ziploc au fond de ses sacs à main !

Toutes ses journées tournaient autour de la bouffe. Une véritable obsession ! Les soirées au restaurant devenaient ridicules. Elle avait dû grignoter avant de sortir pour éviter de se jeter sur la corbeille de pain. Résultat, elle n'avait plus très faim quand venait le temps de commander et se contentait de peu. Immanquablement, à la sortie du resto, elle était à nouveau frappée par une « crise d'hypo » ! Pendant un temps, au grand chagrin de son amoureux épicurien, elle a donc préféré recevoir à la maison.

Ma copine Nathalie a eu les mêmes problèmes que Chantal. En revanche, ses baisses de sucre étaient déclenchées par des bouffées de chaleur intenses. Elle était soudainement prise de vertige jusqu'à devoir s'asseoir ou s'accrocher au bras de quelqu'un. Et puis, dès qu'elle mangeait, elle retrouvait ses jambes.

VOICI QUELQUES CONSEILS :

En cas de crise, buvez un jus de fruits ou de légumes sans sucre ajouté.

Gardez sur vous des barres santé, des amandes, des fruits secs ou frais, comme les dattes ou les bananes, ou encore du fromage.

Découvrez ces nouveaux produits offerts en sachets : lentilles grillées, pois chiches rôtis, criquets grillés, qui sont tous des remontants garantis.

Évitez les produits contenant des sucres ajoutés, qui soulagent sur le moment, mais ne soutiennent pas dans la durée.

Consultez un professionnel de la santé afin d'obtenir un diagnostic et vous assurer que vous n'êtes pas devenue une « vraie » hypoglycémique.

LES CONSEILS DE LISA :

- Prenez un supplément à base de picolinate de chrome, cannelle et gymnema sylvestre pour vous aider à mieux gérer votre glycémie.
- Consommez des aliments à indice glycémique peu élevé : les légumes verts, les oléagineux comme les amandes et les noix de cajou, les fruits comme les pommes, fraises et framboises, les céréales et graines germées, les légumineuses comme les lentilles vertes et pois cassés.

Symptôme n° 22

LE MANQUE DE CONCENTRATION

Ma sœur et moi, nous avons 18 mois d'écart. Elle habite au New Jersey. Elle a un doctorat en psychologie et, comme elle s'était rendu compte qu'elle avait de plus en plus de mal à se concentrer, elle a fait des recherches sur le sujet. C'est au cours d'un séjour que j'effectuais chez elle qu'elle a découvert que j'avais le même problème qu'elle : le *brain fog*, le cerveau embrumé. Je me suis reconnue dans cette expression. Quand on peut mettre un mot sur des maux, on dirait que la pression tombe et qu'on est prête à affronter la bête ! Mais quel était mon recours pour tenter de dissiper ce brouillard ?

J'ai peur des maladies, mais pas au point de me définir comme une hypocondriaque. Cependant, ces dernières années, l'accumulation de symptômes liés à la préménopause m'a rendue plus fragile. Auparavant, jamais je ne m'étais autant penchée sur les maux que mon corps expérimentait. Et voici que désormais, je courais après les médecins, les spécialistes et autres thérapeutes. Jusqu'au jour où je suis tombée sur cette liste de 35 symptômes chez Lisa, l'homéopathe qui m'a été recommandée par ma voisine de palier.

Malheureusement, elle ne faisait pas partie de ma vie lors de ma phase de manque de concentration.

Durant presque huit mois, mon cerveau m'a semblé paralysé. Je ne comprenais plus grand-chose. En réunion, je prenais des notes qui s'avéraient être, à la relecture, un véritable charabia. J'étais physiquement présente, mais complètement dans le champ. Je ne comprenais pas totalement les décisions que nous prenions, les concepts qui étaient validés, les objectifs et les échéanciers serrés à respecter… D'habitude, mes neurones peuvent en prendre. Ils ont l'habitude d'absorber des quantités d'informations à la vitesse grand V. Là, je perdais mes alliés de longue date et cela ajoutait davantage de brouillard dans ma tête. Mon cerveau bien allumé fonctionnait à bas régime. J'étais désemparée.

Ce n'était pas du tout la même sensation que celle de perdre la mémoire. J'avais perdu ma capacité à organiser, à décider, à mener des équipes, à convaincre des clients, à négocier avec mes fournisseurs. Je me suis mise à enregistrer les réunions et les appels importants afin de pouvoir les réécouter. Je m'assurais d'avoir une collaboratrice à mes côtés pour rédiger les comptes rendus. Je ne me faisais plus confiance, et sincèrement, je pensais que je perdais la tête ! Était-ce la fin pour moi ? Devais-je songer à accrocher mes patins ?

Finalement, j'ai pris mon mal en patience, j'ai réussi à tenir bon et à traverser ces huit mois en faisant confiance à mes proches. Je ne peux pas vous dire le bonheur que j'ai ressenti en retrouvant toute ma tête !

Il n'y a pas de solution miracle pour se débarrasser de ce symptôme, mais Lisa a de bons conseils pour vous. J'aurais aimé pouvoir profiter de ses conseils à ce moment-là, elle qui m'a aidée à atténuer les symptômes les plus coriaces et les plus « handicapants » par la suite, mais je ne l'avais pas encore découverte !

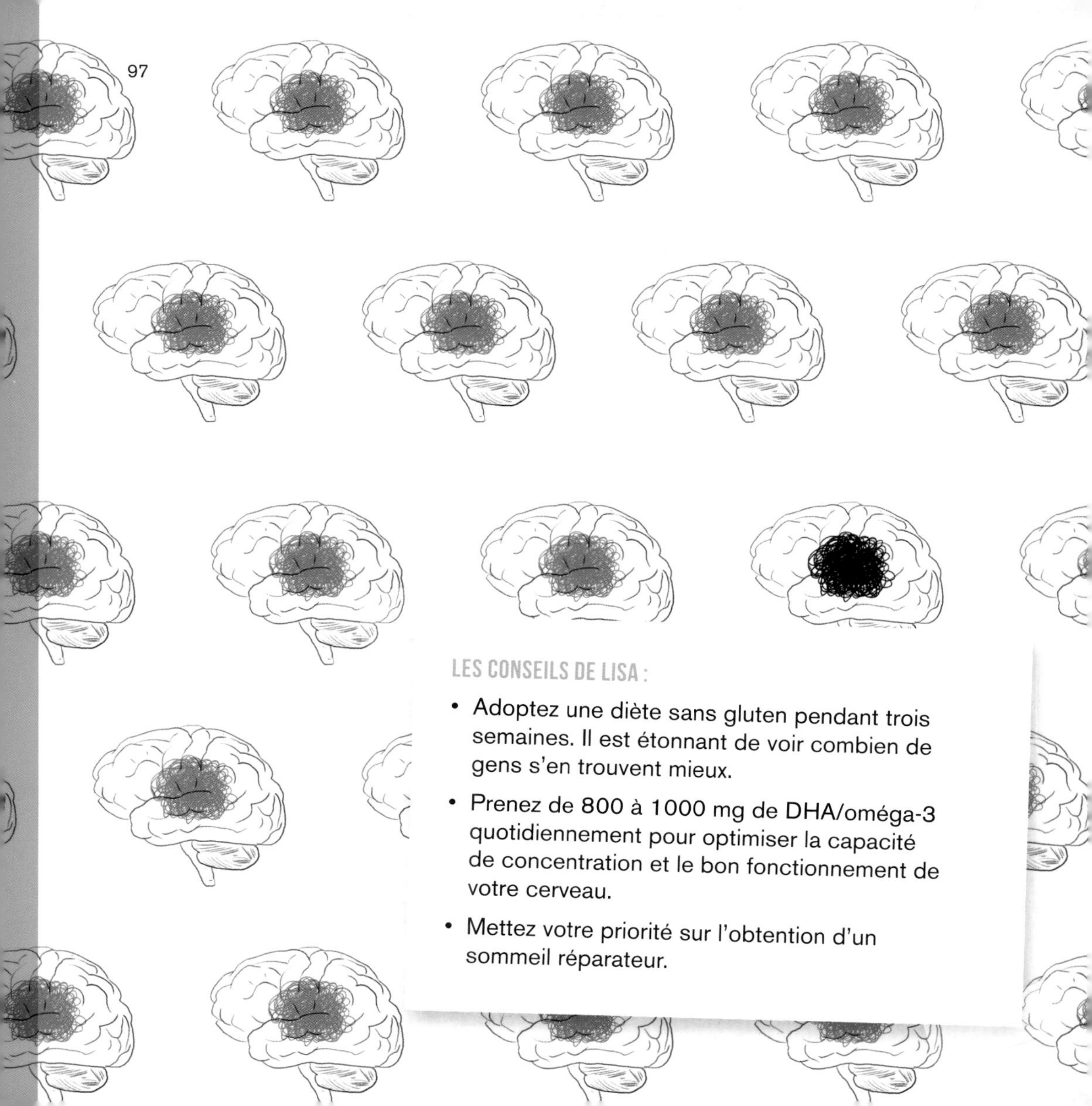

LES CONSEILS DE LISA :

- Adoptez une diète sans gluten pendant trois semaines. Il est étonnant de voir combien de gens s'en trouvent mieux.
- Prenez de 800 à 1000 mg de DHA/oméga-3 quotidiennement pour optimiser la capacité de concentration et le bon fonctionnement de votre cerveau.
- Mettez votre priorité sur l'obtention d'un sommeil réparateur.

Symptôme nº 23

LA FAIBLE TOLÉRANCE À L'EFFORT

Maintenant que vous me connaissez mieux, vous savez que j'ai un besoin viscéral de bouger. L'explication en est simple : quand nous étions enfants, mon frère, ma sœur et moi, nos parents nous ont inscrits à une multitude d'activités sportives afin de stimuler notre curiosité et d'éveiller nos passions. Ski alpin, ski nautique, ski de fond, équitation, judo, patinage artistique, ballet, hockey sur glace, tennis, golf, ping-pong… La liste serait longue. En ce qui me concerne, je soupçonne que mes parents ont agi de la sorte pour tenter de canaliser mon énergie débordante et ma personnalité hyperactive. Ma mère m'a d'ailleurs raconté qu'à l'âge de deux ans, elle m'avait chaussée de skis alpins pour me garder au bas des pentes et m'empêcher de partir à l'aventure sans elle, parce que mon envie d'explorer était plus forte que tout !

À l'âge adulte, le sport est devenu une soupape pour évacuer la pression. La meilleure façon que j'ai trouvée de préserver ma santé mentale ! J'ai continué ainsi à m'initier à d'autres disciplines sportives et à les pratiquer avec rigueur et enthousiasme. Quand je dérogeais à mon planning de trois à quatre activités sportives par semaine, je n'avais plus de soleil dans la tête, je dormais moins bien, je me sentais mal dans mon corps et mon niveau de stress grimpait.

Le sport était en quelque sorte mon refuge et mon repos, une forme de méditation, le contrepoids nécessaire à mon rythme de vie effréné.

Puis, un jour, ma volonté de fer et mon corps m'ont lâchée. Mes muscles pourtant bien ciselés ne supportaient plus le moindre effort, ne serait-ce que de grimper les deux étages pour me rendre au travail. Mes jambes me semblaient extrêmement lourdes et j'étais très souvent à bout de souffle. Après tant d'années d'entraînement assidu, comment était-ce possible ?

Je n'arrivais plus à honorer ma devise personnelle : « Grouille pour pas que ça rouille ! » Il me fallait le reconnaître : j'étais désormais incapable de suivre le mode de vie dynamique qui avait été le mien depuis tant d'années. Je me suis sentie subitement vieille, ainsi privée de mon énergie légendaire. J'étais terrassée.

Une semaine, deux semaines, un mois, deux mois ont passé et aucun signe d'amélioration en vue. Pas moyen de retrouver ma motivation à bouger. Certains matins, en me parlant sévèrement, je réussissais à monter sur mon trampoline, mais cinq minutes plus tard, à mon grand désarroi, mon corps refusait de coopérer.

J'ai finalement dû renoncer à toute activité sportive pendant plus de six mois. Mon trampoline et mes poids devinrent de véritables nids à poussière. Et je vécus alors mon premier sevrage d'endorphines !

Mes chères consœurs sportives, vous allez devoir lâcher prise si vous traversez une telle période. Laissez le temps faire son œuvre. Il vous faudra cultiver patience et tolérance envers votre pauvre corps chamboulé par les hormones en pleine mutation…

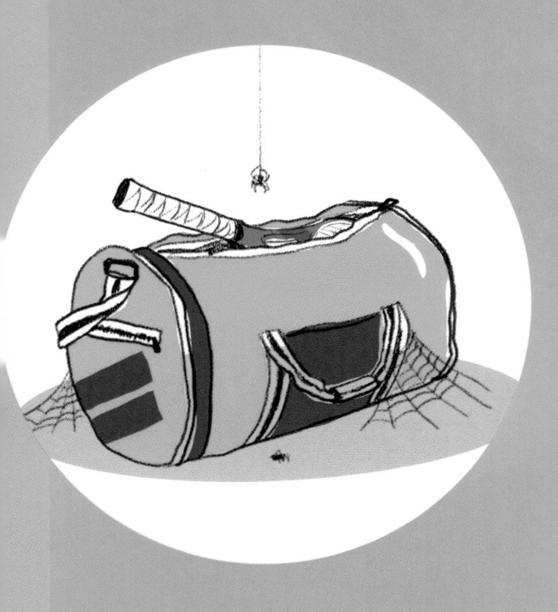

POUR NE PAS PERDRE LA TÊTE :

Faites de longues balades avec vos copines, votre amoureux ou amoureuse.

Trouvez des façons de bouger au quotidien; par exemple, optez pour les escaliers plutôt que pour l'ascenseur ou les escaliers roulants.

Explorez de nouvelles activités physiques plus douces pour votre corps comme le yoga ou le taï-chi.

Marchez le plus souvent possible au lieu de sauter systématiquement dans votre voiture.

Prenez votre mal en patience et faites confiance à la mémoire des muscles : dès que vous vous remettrez à l'activité physique, votre corps retrouvera vite son tonus.

LE CONSEIL DE LISA :

- Vos glandes surrénales sont peut-être fatiguées. Procurez-vous un supplément à base de racine de réglisse, Saint Basile, pantéthine, ginseng, rhodiola, ashwaganda et vitamine C pour aider à soutenir vos glandes surrénales.

Symptôme nº 24

LA CHUTE DE CHEVEUX

Comme dit ma copine d'enfance : « En vieillissant, on perd nos cheveux mais on gagne des poils sur le menton et les mamelons. » À bien y penser, c'est vrai que c'est plutôt cocasse !

Mon frère et ma sœur ont hérité du gène capillaire maternel et arborent une chevelure épaisse et abondante. De quoi me rendre totalement jalouse, car, pour ma part, j'ai le cheveu fin et pas particulièrement généreux... Vous comprendrez alors pourquoi je tiens mordicus à chaque poil que j'ai sur le caillou.

Il y a quelques années, j'ai remarqué qu'après les shampoings, les cheveux s'accumulaient de plus en plus au fond de ma baignoire. Au début, je ne m'en suis pas préoccupée parce que mes ongles semblaient en bonne santé et que j'étais convaincue que la santé des ongles et des cheveux allait de pair.

Quelques mois plus tard, en démêlant mes cheveux avec les doigts, des touffes me sont restées dans les mains. Parallèlement, j'ai constaté que ma brosse se remplissait de plus en plus quand je me coiffais. L'inquiétude s'est alors doucement transformée en panique.

Le jour où le drain de ma baignoire s'est complètement bouché, j'ai réalisé que ce problème de chute de cheveux n'était pas le simple fruit de mon imagination. Chez mon coiffeur, tandis qu'il me shampouinait, je lui ai demandé s'il trouvait mon crâne moins garni. Sa réponse m'a décontenancée ! « Bien sûr, Mirella, depuis que je te coiffe, tu as perdu environ 30 % de tes cheveux ! » Quoi ? Et il n'avait pas daigné m'en parler ? J'étais furax. M'est revenue aussitôt en tête l'image d'une ancienne collaboratrice qui avait perdu tellement de cheveux que l'on apercevait la peau de son crâne. Quelle angoisse ! Un homme qui a une calvitie à la mi-quarantaine, passe encore, mais une femme, quelle horreur ! Je me voyais déjà chauve !

À la longue liste de mes dysfonctionnements, il fallait donc ajouter ce dernier. En plus de surveiller mon poids, mon niveau d'énergie, mon irritabilité, ma vessie et le reste, il allait falloir que j'examine ma tête à la loupe pour guetter l'apparition de ma calvitie ! C'en était trop ! J'imaginais déjà mon conjoint exaspéré de devoir se taper de nouvelles jérémiades au sujet de la disparition de ma modeste crinière.

Rassurez-vous, mesdames, rares sont les femmes qui développent une calvitie à la préménopause. Certes, il arrive que certaines d'entre nous perdent beaucoup de cheveux, mais pas au point de voir apparaître le cuir chevelu. Les mamans parmi vous le savent, car le même phénomène se produit pendant la grossesse.

La chute de cheveux s'explique par le débalancement de la testostérone, plus précisément du DHT, un dérivé de cette hormone qui est l'ennemi des follicules pileux et dont le seul but est de les anéantir. L'équilibre hormonal joue un rôle de premier plan dans le maintien du bon fonctionnement du corps et du cerveau. J'avoue humblement que je n'avais pas conscience de son importance cruciale avant de traverser la préménopause.

Il va sans dire que le stress est aussi un facteur qui contribue à la perte de cheveux. Or, en cette période tumultueuse de notre vie, il nous est bien difficile de rester sereines...

JE NE CONNAIS PAS DE REMÈDES MIRACULEUX, MAIS VOICI QUELQUES PISTES :

Depuis que je prends de la vitamine D, mes cheveux semblent rester davantage sur ma tête !

Parlez-en à votre médecin ou à un autre professionnel de la santé, car il existe des vitamines et des minéraux qui aident à prévenir la chute de cheveux.

Évitez les produits nocifs, comme les teintures au peroxyde.

Optez pour des produits naturels.

LE CONSEIL DE LISA :

- Obtenez votre bilan thyroïdien (TSH, T3, T4). La préménopause s'accompagne souvent d'insuffisance thyroïdienne dont voici les principales manifestations : frilosité, pertes de cheveux, gain de poids, sécheresse de la peau, dépression et constipation.

Symptôme n° 25

LA PEAU ET LES CHEVEUX SECS

Il reste sur mon corps et sur mon visage des traces du passage de la varicelle. Ma mère prétend qu'elle a tout fait pour m'empêcher de me gratter, me rappelant au passage avec un malin plaisir que j'étais une enfant qui n'en faisait qu'à sa tête ! J'avoue que je me suis en effet grattée : c'était plus fort que moi. Encore aujourd'hui, quand la peau me démange, je la gratte jusqu'au sang. Que ce soit une piqûre de moustique, un insecte que j'attire comme le pollen attire les abeilles, ou une soudaine réaction allergique cutanée, je m'acharne sur ma peau avec à la fois l'attention d'un singe qui en épouille un autre et l'énergie d'un chien qui se gratte l'oreille. La sensation de la peau qui pique me met hors de moi. J'ai zéro tolérance. Allez savoir pourquoi !

Au moment des changements de saison entre l'automne et l'hiver ou entre le printemps et l'été, je me suis donc habituée avec le temps à subir une période de 15 jours de démangeaisons de la peau.

Au moment de la préménopause, les démangeaisons sont devenues plus fréquentes et ce n'était pas à cause de randonnées dans le bois !

Dès que je me mettais au lit, la gratouille me prenait. Ce symptôme, associé à celui de la phobie des punaises de lit… je ne vous fais pas un dessin. Le dos, les mollets et les chevilles me démangeaient. J'en étais obsédée. Je m'enduisais le corps de crème, mais en vain. J'avais littéralement la sensation de muer !

Le phénomène a ensuite pris de l'ampleur. Il se produisait non seulement au coucher, mais aussi lors des changements radicaux de température, en passant du chaud au froid ou vice versa.

Mon cuir chevelu a aussi souffert pendant cette période. Comme à l'adolescence, les pellicules ont fait une courte apparition. Le simple geste de passer la main dans les cheveux ou de secouer la tête saupoudrait mes épaules de fines particules blanches. C'était loin d'être élégant puisque ma garde-robe est principalement constituée de vêtements noirs !

L'œstrogène, notre précieuse hormone dont le taux chute au moment de la préménopause, a un effet lubrifiant, non seulement dans le cerveau, mais également sur la peau et les cheveux. Quand j'ai fait le lien, j'ai compris que j'étais l'heureuse élue d'un nouveau symptôme !

LES CONSEILS DE LISA :

- Obtenez votre bilan thyroïdien (TSH, T3, T4). La préménopause s'accompagne souvent d'insuffisance thyroïdienne dont voici les principales manifestations : frilosité, perte de cheveux, gain de poids, sécheresse de la peau, dépression et constipation.
- Consommez de 800 à 1000 mg d'huile oméga-3, tous les jours.

MES CONSEILS DE « PRO » :

Prenez des douches tièdes. La chaleur agresse la peau et provoque les démangeaisons.

Un conseil judicieux de ma sœur : quand vous prenez votre douche, savonnez uniquement les parties qui ont besoin d'être lavées. Votre peau sera moins sèche ainsi.

Utilisez des savons sans parfum et naturels. La marque Aveeno a fait des miracles pour moi.

Demandez à votre pharmacien de vous suggérer une crème anti-démangeaisons pour le corps qui contient du camphre et de la calamine. Encore une fois, Aveeno en fait une très bonne.

Demandez à votre coiffeur une recommandation de shampoing professionnel pour combattre les pellicules et hydrater les cheveux secs.

Pour un traitement antipelliculaire plus naturel, ajoutez quelques gouttes d'huile essentielle d'arbre à thé à votre shampoing. Cette huile est incontournable pour les problèmes de peau, incluant le cuir chevelu.

Symptôme n° 26

LES DOULEURS ARTICULAIRES

Il y a cinq ans, je me suis entraînée quatre mois durant pour participer à un duathlon, un défi qui figurait sur ma *bucket list* de l'année. Mes entraînements allant bon train, j'étais excitée comme une puce. Le jour J est enfin arrivé et je suis partie en toute confiance, accompagnée de mon conjoint venu m'encourager et chargé de faire un reportage photo pour immortaliser cette grande première. Le duathlon était composé de 5 km de course à pied, 20 km de vélo et à nouveau 5 km de course. À la dernière étape, ma hanche m'a subitement lâchée : je ne pouvais plus avancer. Et, à mon grand désarroi, j'ai traversé la ligne d'arrivée en voiturette de golf ! Ce fut le premier épisode d'une longue série de problèmes articulaires qui, en plus de me faire souffrir, ont miné mon quotidien pendant plusieurs mois.

Les douleurs aux jointures des doigts étaient telles que je ne réussissais plus à ouvrir une boîte de conserve, dévisser un couvercle, décapsuler une bouteille, et même ouvrir ou fermer les stores verticaux de mes fenêtres. Après, ce sont les épaules, les genoux, les coudes et le cou qui se sont mis de la partie. Chaque matin, je me sentais comme le bûcheron en fer-blanc du *Magicien d'Oz* : j'avais besoin d'être huilée pour démarrer la journée !

Toutes mes articulations étaient affaiblies et endolories. Un sac d'emplettes ou un sac à main trop rempli me semblait peser des tonnes. Je ne parvenais plus à accomplir mes traditionnelles séances de musculation. Déneiger la voiture, pousser une porte, démêler mes longs cheveux, ces nombreux gestes du quotidien que je faisais habituellement sans y penser s'étaient transformés en épreuves pénibles. Je me sentais démunie, dépendante et terriblement vieille à seulement 48 ans ! Cet avant-goût amer de ce à quoi pourrait ressembler ma vie d'aînée m'a déprimée. Moi, la fille super-autonome et ultra-dynamique, j'ai été obligée, du jour au lendemain, de faire appel aux autres, et en particulier à mon conjoint, pour exécuter des tâches minuscules.

La douleur use et fatigue non seulement le corps, mais aussi le mental. On m'a proposé des antidépresseurs comme solution, ce à quoi j'ai dit non, car cela me paraissait absurde de « soigner ma tête » plutôt que de chercher la cause de ces maux. C'est en découvrant la liste des symptômes de la préménopause que j'ai finalement fait le lien. Lisa, mon homéopathe, avec ses conseils judicieux et ses précieuses granules, m'a aidée à traverser cette rude épreuve.

CE QUE J'AI FAIT ET QUE JE VOUS RECOMMANDE :

En éliminant le gluten de ma diète, le degré de la douleur a considérablement diminué.

J'ai remplacé la course à pied et la musculation par le trampoline individuel qui ne met aucune pression sur les articulations. La surface souple absorbe 80 % du choc. Et en prime, c'est une activité sportive qui défoule !

J'ai suivi religieusement les traitements homéopathiques que Lisa m'a prescrits.

LES CONSEILS DE LISA :

- Prenez un supplément pour la santé des articulations contenant : boswellia, curcumine, griffe du diable, et gingembre pour réduire l'inflammation des articulations.
- Pensez à consulter un homéopathe; l'homéopathie fait des merveilles pour réduire la douleur et l'inflammation des articulations, de manière naturelle.

Symptôme nº 27

LA PERTE DE LIBIDO

La perte de libido ou de l'appétit sexuel a beau être l'un des symptômes les plus connus de la préménopause, cela ne veut pas dire que c'est un sujet de discussion courant. En couple, c'est une source de frustration majeure, surtout si votre partenaire est un chaud lapin, et une belle occasion de culpabilité pour les femmes. Comme s'il n'y en avait pas assez pendant cette magnifique période de réjouissances qu'est la préménopause !

Peut-on se dire les vraies affaires ?

Tout le monde le sait, l'appétit sexuel est inversement proportionnel au nombre d'années vécues en couple. La flamme sexuelle demande alors parfois à être attisée. Si vous ne vivez pas cette réalité, je m'incline bien bas. En ce qui nous concerne, mon amoureux et moi, la fréquence de nos ébats s'est grandement espacée. J'ai d'abord cru que la faute en incombait à la longévité de notre vie de couple. Nous nous aimons, nous sommes complices, nous nous respectons, nous sommes bien ensemble ; il n'y avait donc pas mort d'homme si nous nous agitions moins souvent sous la couette.

Bien entendu, ce n'était pas ainsi que mon bien-aimé voyait les choses. À défaut de faire des X sur le calendrier, il me rappelait gentiment que les semaines filaient depuis notre dernière partie de jambes en l'air.

J'ai eu une véritable révélation le jour où la perspective de me masturber en fantasmant sur George Clooney ne m'a pas du tout émoustillée ! Si George n'avait plus d'effet sur moi, c'était la fin des haricots pour mon pauvre chéri.

Comment vous résumer les choses ? Disons que l'idée de m'envoyer en l'air me paraissait aussi attrayante qu'une coloscopie. Aucun désir naissant, rien, *nada, niente, nothing*. La baisse de ma libido était en plus le cadet de mes soucis puisque je vivais des symptômes plus dérangeants, qui me demandaient efforts, stratégies et ressources afin de les endurer. Celui-là pouvait bien attendre son tour !

Puis, petit à petit, une certaine envie de la jouissance m'est revenue en regardant des scènes d'ébats amoureux à l'écran ou lorsque le soleil me caressait la peau. Cette nano-envie s'emparait de moi, mais du genre « c'est ici, maintenant, tout de suite que ça se passe ». Quelle révélation ! Je n'étais plus en hibernation sexuelle ! Quant à mon homme, trop heureux de retrouver sa dulcinée, il s'est montré accommodant.

La morale de l'histoire : la libido revient comme elle est partie. N'en faites pas trop de cas. Parlez-en ouvertement avec votre partenaire. Expliquez-lui votre état d'esprit, ce que votre corps vous dit. Rassurez-le, ça ne vient pas de lui, mais d'un état dont vous êtes prisonnière et qui va finir par passer.

ENTRE NOUS, DEUX CONSEILS :

Si l'idée de vous faire toucher vous dérange, occupez-vous de lui.

Pour vous sentir moins coupable, simulez une fois de temps en temps… Vous gagnerez ainsi quelques semaines de répit !

LES CONSEILS DE LISA :

- La DHEA est le précurseur de la testostérone (le corps l'utilise comme matière première pour fabriquer la testostérone). Elle peut être prise de manière sécuritaire jusqu'à concurrence de 10 mg par jour par les femmes, afin d'augmenter leur libido. La DHEA est offerte en vente libre aux États-Unis, mais pas au Canada, où elle doit être prescrite.

Symptôme n° 28

LA DIFFICULTÉ À PARVENIR À L'ORGASME

J'ai longtemps eu la capacité de jouir sur commande en deux temps, trois mouvements. J'avais développé une dextérité et un doigté redoutables, qui me permettaient de prendre mon pied de façon quasi instantanée. Mes nombreux amants ont dû accepter, dès nos premiers ébats, de me laisser jouir sans leur intervention. Les pauvres, je ne leur laissais ni le choix ni le temps de me montrer leurs prouesses au lit.

Si j'ai frustré plus d'un gars dans ma vie, au moins ils ne se démenaient pas pour rien ! Mes nombreuses années de célibat, ainsi que le vieux dicton qui dit qu' « on n'est jamais si bien servi que par soi-même », ont sans doute contribué à cette forme d'indépendance sexuelle. Et force est de constater que je l'ai vécue sans retenue !

Mais revenons à nos moutons… Il va sans dire que si, dans cette merveilleuse période qu'est la préménopause, aucune envie sexuelle ne nous habite, il est fort probable que notre capacité à l'orgasme soit amoindrie. En revanche, quand un léger désir se fait sentir et que le chemin vers l'orgasme prend les allures d'un marathon, ça peut devenir une réelle source d'inquiétude. C'est exactement ce qu'il m'est arrivé pendant cette période moins faste de ma vie. J'avais beau m'émoustiller avec les fantasmes les plus érotiques, pas moyen de mouiller ! Ce clitoris, qui frémissait auparavant à la moindre manipulation, n'avait plus de répondant. Et en bonus, j'aggravais ma tendinite au bras !

C'est une drôle d'impression de ne plus pouvoir répondre à ses propres attouchements et de perdre toute sensibilité tactile. On aurait dit que toutes mes parties intimes (incluant les seins) étaient anesthésiées. Mais pour être honnête, je ne me suis pas longtemps penchée sur le problème, car j'avais d'autres chats à fouetter !

Comme pour de nombreux autres symptômes, je vous recommande de prendre votre mal en patience et d'attendre que ça passe !

Deux conseils perso. Quitte à passer à une autre étape de la vie, autant le faire dans la jouissance et la bonne humeur, n'est-ce pas !

Le site web omgyes.com m'a été recommandé par ma prof de méditation. (Avant, j'étais réfractaire à l'idée de méditer, mais je vous encourage à vous y mettre ! Je suis une adepte depuis peu de temps et je suis convaincue que cette pratique quotidienne m'aurait aidée à surmonter certaines difficultés de la préménopause.) Ce site présente des vidéos sur les différentes techniques qui permettent d'atteindre l'orgasme. Il vous aidera à vous réapproprier votre corps. Je ne vous en dis pas plus, mais ça vaut le détour !

Lisa, mon homéopathe, m'a quant à elle parlé du livre *Pussy : A Reclamation* de Regena Thomashauer. Ce livre vous apprendra que la « chatte » est tout sauf pornographique, et qu'elle est au contraire le berceau du pouvoir et du plaisir féminins. Vous allez découvrir que le fait de prendre conscience de sa sensualité est primordial pour la santé mentale, intellectuelle et émotionnelle. À consommer à tous âges… *Yes to girl power!*

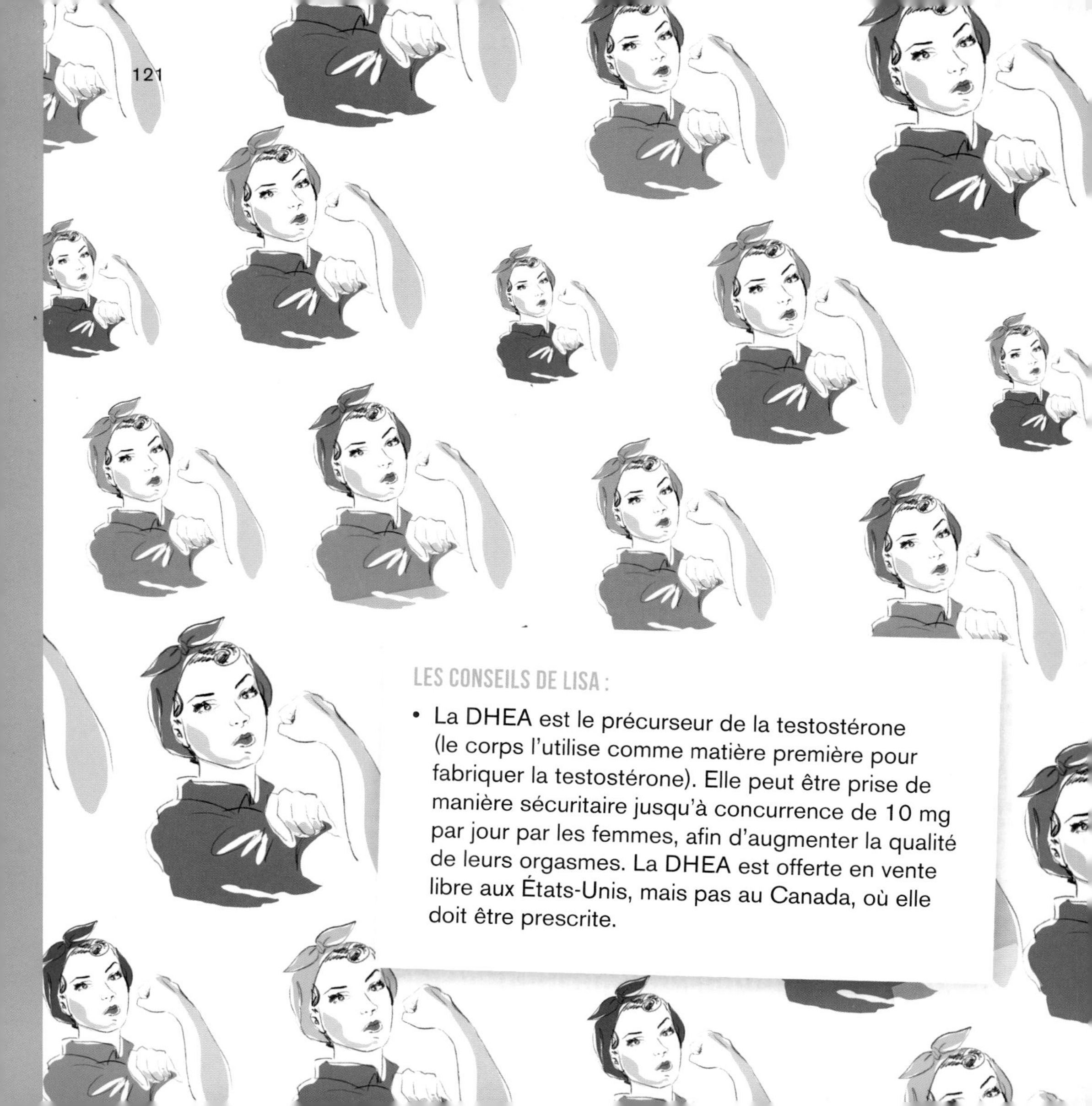

LES CONSEILS DE LISA :

- La DHEA est le précurseur de la testostérone (le corps l'utilise comme matière première pour fabriquer la testostérone). Elle peut être prise de manière sécuritaire jusqu'à concurrence de 10 mg par jour par les femmes, afin d'augmenter la qualité de leurs orgasmes. La DHEA est offerte en vente libre aux États-Unis, mais pas au Canada, où elle doit être prescrite.

Symptôme n° 29

LE BURN-OUT

« Pourquoi te sens-tu si vulnérable, fébrile, épuisée ? Pourquoi veux-tu tout larguer ? Pourquoi as-tu choisi d'aller au bout du monde pour te ressourcer avec cette peur au ventre qui ne te lâche pas ? Et toutes ces décisions à prendre, vas-tu y arriver ? »

Il m'a fallu quelques années de recul pour réaliser que j'étais en burn-out à l'époque où j'écrivais ces phrases dans mon journal intime. Avec le métier que je pratique, je me doutais que ça m'arriverait un jour, qu'un beau matin j'allais heurter un mur, et ce moment, je l'appréhendais.

Tout s'est éclairé le jour où j'ai découvert que le burn-out figurait sur la liste des symptômes potentiels liés à la préménopause, à côté des autres calvaires que je vivais déjà depuis quelque temps. J'ai alors compris que l'envie que je ressentais de vouloir fuir toutes mes responsabilités était légitime. Il ne s'agissait pas seulement des responsabilités professionnelles, mais aussi des trucs les plus anodins du quotidien, comme récupérer mes vêtements chez le nettoyeur, payer la facture d'électricité ou appeler le plombier pour déboucher mon bain... Tout cela me pesait. Je rêvais qu'on me prenne totalement en charge. Fallait-il donc que je retourne vivre chez ma mère ?!

Alors que je traversais cette période de grande vulnérabilité, j'avais décidé de partir loin, sans réellement savoir dans quel état je me trouvais. Aurais-je renoncé à ce voyage si je l'avais su ? Probablement. Avec le recul, je suis fière de l'avoir fait. J'ai ainsi forgé les armes nécessaires pour affronter la suite de mon aventure hormonale. J'ai fait preuve de courage, de volonté, et j'ai appris à vivre seule avec moi-même.

Si vous souffrez d'insomnie et de sueurs nocturnes, il y a de fortes chances que votre état d'épuisement général soit élevé. Je vous conseille alors d'évaluer si vous avez besoin d'une pause. Il n'y a pas de honte à s'accorder un temps pour soi si cela nous est possible ! Tenez un journal pour consigner vos états d'âme. Il semblerait que ce passage dans la vie d'une femme sert à « faire le ménage ». Or, on ne s'arrête pas assez souvent pour faire un arrêt sur image. Vous découvrirez sans doute qu'il y a des habitudes, des *modus operandi* qui vous nuisent ou qui ne vous conviennent plus. Essayez d'accueillir avec sérénité ce nouveau chapitre de votre vie. Ça en vaut la peine !

Au risque de me répéter, sachez aussi que les médecines douces peuvent vous aider à vous remettre sur pied.

LE CONSEIL DE LISA :

- Vos glandes surrénales sont peut-être fatiguées. Pour les soutenir, procurez-vous un supplément à base de racine de réglisse, saint-Basile, pantéthine, ginseng, rhodiola, ashwagandha et vitamine C.

Symptôme nº 30

L'ACNÉ

J'ai eu la chance de traverser l'adolescence sans un bouton sur le visage, et mon cycle menstruel n'a jamais engendré de problèmes de peau à l'âge adulte. J'étais convaincue que ce symptôme concernait seulement les femmes ayant déjà eu des problèmes d'éruptions cutanées. Cette déduction logique s'est avérée pour moi, mais pas pour mon amie Manon. La pauvre!

Je connais Manon depuis plus de 30 ans et je l'ai toujours connue avec un épiderme lisse et lumineux. Elle m'a d'ailleurs confirmé qu'elle avait une peau de bébé à l'âge où ses copines et ses copains devaient composer avec les comédons, les points noirs, les pustules, les nodules et autres papules...

Au début de la quarantaine, Manon a eu des signes avant-coureurs d'un changement de sa nature de peau, mais elle n'y a pas trop prêté attention, car elle endurait d'autres problèmes physiques plus préoccupants. En plus d'être une grande sportive, Manon fait preuve d'une hygiène de vie exemplaire. C'est la raison pour laquelle ces problèmes de santé soudains l'ont troublée. Un an durant, elle a consulté médecins et spécialistes. On lui a fait passer une batterie de tests allant de la résonance magnétique aux bilans sanguins pointus. Tout cela en vain, car elle n'avait rien.

On lui disait même qu'elle avait une santé de fer. Cependant, sa détresse et son anxiété étant bien réelles, on lui a prescrit des antidépresseurs. Ce n'est que beaucoup plus tard, lorsqu'elle s'est tournée vers la médecine ayurvédique, qu'elle a percé le mystère de ses problèmes de santé : la préménopause. Combien de femmes passent par ce long périple médical avant d'apprendre ce qui se déroule dans leur corps ?

Revenons à Manon. Au plus fort de ses crises d'acné, son visage semblait recouvert d'une galette sèche qui la brûlait et la démangeait sans arrêt, au point qu'elle voulait s'arracher la peau. Hiver comme été, cette condition ne lui laissait aucun répit.

À cette souffrance physique se sont ajoutés des problèmes d'ordre psychologique, dont de nombreux passages dépressifs. Il n'y avait rien à faire, les épaisses couches de fond de teint ne pouvaient pas camoufler les rougeurs boursouflées et les lésions cutanées. Elle ne se reconnaissait plus. Elle restait chez elle, recluse, ressentant honte et gêne, ne supportant plus le regard des autres sur elle. L'état de sa peau est devenu une véritable obsession, et plus elle y portait attention, plus il s'aggravait. Ses problèmes d'acné lui ont littéralement pourri la vie pendant plusieurs années, et c'est finalement à l'âge de 54 ans qu'un dermatologue lui a expliqué qu'elle avait de l'acné hormonale liée à la préménopause.

Je suis ravie de vous apprendre que mon amie a retrouvé sa joie de vivre, sa peau de jeune première, avec de jolies rides d'expression, bien entendu, et que tous les autres maux dont elle a souffert ont disparu avec la ménopause. Elle aussi aurait souhaité être diagnostiquée bien en amont. Mais entendons-nous, une fois cette étape de vie passée, nous nous sentons en feu ! La cinquantaine est la nouvelle trentaine, qu'on se le dise !

MANON VOUS CONSEILLE de voir un dermatologue dès l'apparition de boutons et de lésions au visage. Le médicament qui a sauvé sa peau après tant d'années est le Doxycin, un antibiotique.

LES CONSEILS DE LISA :

- Supprimez les produits laitiers et le sucre de votre alimentation pendant trois semaines - Une formule gagnante !

Symptôme n° 31

LA PEAU HUILEUSE

On m'avait expliqué que si j'avais une propension à être irritable pendant mes SPM, il y avait de fortes chances que mon irritabilité s'intensifie à la préménopause. Résultat : il n'y a pas photo, je suis la preuve vivante de la pertinence de cette théorie. La même prophétie s'applique aux caractéristiques de la peau. Les peaux sèches ont tendance à se dessécher et les peaux grasses à briller davantage. J'appartiens au camp des peaux sèches et fragiles et, à vrai dire, aucune de mes copines n'a expérimenté le symptôme de la peau huileuse. N'allez pas croire pour autant que cela n'arrive pratiquement à personne. Et oui, certaines femmes se retrouvent bel et bien avec une peau reluisante digne de celle d'une adolescente !

Pendant les 5 à 10 ans que dure la préménopause, nos hormones femelles et mâles fluctuent. Chez plusieurs d'entre nous, les hormones mâles prennent le dessus, créant un déséquilibre qui peut se traduire par une forme de virilisation. Par exemple, on voit apparaître des poils sur le menton ou sur les mamelons. Ou encore, la peau devient plus grasse, ainsi que les cheveux parfois, et des problèmes d'acné (re)surgissent. (J'ai dû avoir une poussée d'hormone mâle à un moment de ma vie, car j'ai trois poils sur le menton que mon esthéticienne prend un malin plaisir à retirer chaque fois que je vais la voir !)

Toutefois, la majorité des femmes n'observent pas ce symptôme, car elles sont plus nombreuses à être affectées par la chute des hormones femelles qui entraîne l'assèchement de la peau et des muqueuses.

Vous n'êtes pas de celles-là et vous avez la peau huileuse ? Réjouissez-vous ! Si, si ! Avec un peu de chance, vous n'aurez pas à souffrir de sécheresse vaginale ou de démangeaisons de la peau. Ni à supporter de voir vos épaules parsemées de pellicules. En voilà une bonne nouvelle, non ?! Je regrette presque de ne pas avoir eu ce symptôme !

QUELQUES RÈGLES D'OR À SUIVRE POUR ASSAINIR VOTRE PEAU :

Mangez sainement !

Surveillez votre alimentation et notez les aliments qui vous donnent des boutons.

Utilisez des savons et des cosmétiques pour peaux grasses.

Lavez votre peau matin et soir.

Exfoliez votre visage deux fois par semaine.

Allez régulièrement chez l'esthéticienne.

Symptôme n° 32

LA NAUSÉE

Je ne connaissais pas la nausée et je ne parle pas ici du fameux roman de Jean-Paul Sartre ! Je n'en ai jamais eu et les rares fois où j'ai vomi dans ma vie se comptent sur les doigts d'une main. En revanche, j'ai souvent entendu mon conjoint se plaindre de soudaines vagues nauséeuses, mais j'ai fait fi de ses états, me disant qu'il exagérait sans doute, comme le font souvent les hommes ! Force m'est de reconnaître que j'avais tort…

C'est lors de mon voyage en Nouvelle-Zélande que j'ai commencé à avoir moi aussi ces haut-le-cœur qu'il me décrivait. Du jour au lendemain, l'odeur du vin rouge, mon nectar préféré, m'a donné la nausée ! Après plusieurs tentatives infructueuses, j'ai essayé le vin blanc sur lequel je levais habituellement le nez. À ma grande surprise, le goût du blanc m'a plu et mon estomac a semblé l'apprécier tout autant. Ainsi, c'en était fini des bonnes bouteilles de rouge pour accompagner mes plats favoris, dont la côte de bœuf... Un vrai petit deuil, je l'avoue, mais disons qu'il y a pire que ça dans la vie. Après tout, j'étais dans un pays reconnu pour ses vins blancs et un nouveau monde s'ouvrait à moi, riche de promesses et de découvertes ! Après le pinot noir, le gamay et le sangiovese, je suis donc devenue une adepte, certes par défaut, du sauvignon, du pinot gris et du chenin blanc.

Se sont ensuite ajoutés à ma liste d'aliments à éviter le yaourt, les œufs, l'agneau, les produits gras et le saumon. Dès lors, le Pepto-Bismol, qui me soulageait instantanément, ne quittait plus mon sac. Autour de moi, de nombreuses copines ont vécu ce même symptôme : des aliments qui jusque-là ne leur avaient jamais provoqué de malaise en ont brusquement occasionné.

Je me souviens aussi très bien de l'effet produit par un certain parfum très prisé par les Françaises. Un soir, lors d'un apéro chez moi, un ami est venu accompagné d'une Parisienne de passage à Montréal. Lorsque celle-ci, comme le veut la coutume, m'a embrassée sur les deux joues, j'ai soudainement été happée par une immense vague d'écœurement. Je me suis précipitée aux toilettes, ai pris quelques grandes respirations avant de me laver le visage et de m'asperger de parfum afin d'effacer toute trace du sien. Je n'avais qu'une hâte, qu'ils quittent tous mon appartement pour l'aérer en grand et sauter dans la douche. Il me fallait vite me débarrasser de son odeur qui me collait à la peau ! Hélas, après la douche, les effluves de son parfum me titillaient encore les narines et j'avais le cœur au bord des lèvres ! J'ai finalement réussi à m'endormir, mais avec une feuille assouplissante sur l'oreiller !

Hélas, mesdames, il est possible que vous deviez vous habituer vous aussi à ces réactions virulentes à la nourriture ou aux odeurs pendant un temps. Certaines femmes les comparent aux nausées de grossesse. Ne vous inquiétez pas outre mesure, ce n'est qu'un autre symptôme de la préménopause… et il disparaîtra comme il est apparu.

AU FIL DES MOIS, J'AI TROUVÉ DES PETITS TRUCS POUR ME SOULAGER :

- de l'eau chaude avec du citron;
- du thé à la menthe;
- les bonbons naturels au gingembre;
- les Gravol sans somnolence;
- des collations santé composées de fruits et de légumes.

Symptôme n° 33

LA SOMNOLENCE

Avez-vous déjà ressenti une envie de dormir si forte que votre tête tombe toute seule et que vous avez du mal à garder les yeux ouverts ? Je ne vous parle pas ici de la délicieuse sensation de sombrer dans le sommeil devant la télé un vendredi soir après une semaine de boulot intense ou en lisant un roman étendue sur votre canapé un dimanche après-midi. Non, je fais allusion à ces instants où l'on se met à piquer du nez dans des situations franchement embarrassantes : lors de réunions avec des fournisseurs, au beau milieu d'une rencontre avec des clients, ou tout simplement alors que l'on est en train de rédiger un courriel au bureau…

Croyez-moi, ce n'est pas drôle ! Tout d'un coup, vos paupières s'alourdissent et vous devez trouver une astuce pour ne pas céder à la tentation de fermer les yeux. Ensuite, les bâillements s'enchaînent, nettement plus difficiles à dissimuler, et souvent contagieux. Pour ma part, à ce moment-là, je savais que j'étais faite si je ne me mordais pas l'intérieur des joues le plus discrètement possible, ou si je n'agitais pas le pied ou gribouillais n'importe quoi ! Tant pis si je montrais des signes d'un comportement hyperactif à mes collègues ou mes clients. Du moins, je restais éveillée ! Et c'était tout de même mieux que d'avoir l'air de m'ennuyer.

Durant cette période, j'ai dû éviter les soirées culturelles car, immanquablement et malgré toute ma bonne volonté, je somnolais par à-coups. Les spectacles de danse contemporaine, les concerts de musique classique, les pièces de théâtre expérimentales me faisaient l'effet d'un somnifère. Même chose pour la lecture, bien que je sois une dévoreuse de livres depuis l'enfance !

Ma sœur est également aux prises avec ce problème de somnolence. Dernièrement, alors qu'elle assistait à une conférence en début de matinée, elle s'est brusquement rendu compte qu'elle venait de faire une petite sieste au vu et au su de tous ! Cette envie subite de dormir se manifeste aussi en voiture, où elle passe une bonne partie de ses journées à balader ses jumeaux d'une activité à une autre. Elle mâche alors de la gomme pour réussir à rester éveillée au volant, et ce, jusqu'à deux paquets par jour ! Il lui arrive de rentrer chez elle, de poser vite fait ses sacs d'épicerie sur le comptoir de cuisine et d'aller directement se vautrer sur le canapé.

Tout comme vous sans doute, ma sœur et moi avions connu par le passé des coups de pompe prévisibles, par exemple après le dîner ou après une longue promenade en bord de mer. Cependant, depuis la préménopause, nous avons constaté que l'envie de roupiller pouvait frapper n'importe quand, même après une bonne nuit de sommeil. Dès lors, nous siestons allègrement sans aucune culpabilité ni gêne.

L'explication de ces assoupissements soudains est fort simple : en circulant dans le sang, chaque hormone modifie le fonctionnement d'un ou plusieurs organes (ou tissus) du corps, tantôt en stimulant une de ses fonctions, tantôt au contraire en l'inhibant. Quand les hormones

sont secrétées en trop grande ou trop petite quantité, notre santé et notre bien-être peuvent donc être affectés de multiples façons. Et, notamment, cela peut jouer sur notre sommeil.

MES ASTUCES PRATICO-PRATIQUES POUR SORTIR DE CET ÉTAT :

Buvez de l'eau, écrivez n'importe quoi, bougez votre pied ou feignez l'envie d'aller aux toilettes pour vous permettre de bouger, de vous étirer ou de vous asperger le visage d'eau froide. L'action vous sortira de la torpeur !

Mangez léger le midi et grignotez des collations santé quand vous avez faim.

Évitez les sports « énergivores ».

N'hésitez pas à sortir prendre l'air de temps en temps pendant vos heures de travail.

Faites de petits sommes de 5 à 10 minutes.

LE CONSEIL DE LISA :

- Vos glandes surrénales sont peut-être fatiguées. Procurez-vous un supplément à base de racine de réglisse, Saint Basile, pantéthine, ginseng, Rhodiola, Ashwaganda et vitamine C pour aider à les soutenir.

Symptôme n° 34

LES OBSESSIONS

L'obsession est définie comme une pensée qui s'impose à nous et dont on n'arrive pas à se débarrasser, même si on reconnaît l'absurdité de ce qu'on ressent. C'est une idée fixe qu'on ne peut chasser. Dans le domaine de la psychologie, on constate que l'obsession est fréquemment accompagnée de compulsions, c'est-à-dire d'actes que l'on fait et que l'on refait sans cesse. C'est ce qu'on appelle des TOC, des troubles obsessionnels compulsifs.

Avais-je une certaine prédisposition à l'obsession avant la préménopause ? Sans doute.

Ces six dernières années, je chante une fois par an pour le plaisir et dans le but d'amasser des fonds pour des organismes à but non lucratif qui viennent en aide aux personnes touchées par la maladie d'Alzheimer. Immanquablement, un mois avant le spectacle, je deviens obsédée par l'idée d'être malade et de perdre ma voix. Je ne sors plus et n'embrasse plus personne (même pas mon conjoint). J'inspecte ma gorge avec appréhension plusieurs fois par jour afin de m'assurer que je n'ai pas d'infection. Cependant, le restant de l'année, avec le rythme effréné que j'ai, il reste peu de temps pour des pensées obsessionnelles !

Les choses ont changé lorsque, soudainement, à la préménopause, ce phénomène s'est manifesté sur une période prolongée. Ma première « préoccupation » a été les punaises de lit. Les gens qui me connaissent savent à quel point j'ai la hantise de ces bestioles. Je fais toujours le même discours aux nouveaux stagiaires émigrés qui arrivent à l'agence : « Ne ramassez pas de meubles ou de matelas dans les ruelles. Vous ne voulez pas vous retrouver avec un problème de punaises ! » Mais de là à me réveiller chaque nuit pour vérifier mon matelas avec une lampe de poche, qui l'aurait cru ? J'ai rendu mon homme complètement dingue.

Puis un matin, au réveil, nous avons remarqué une tache de sang sur les draps. « Bon, tu vois, je ne suis pas folle ! » Loupe et lampe de poche en main, nous avons défait le lit. Eh bien rien, aucune trace ! C'est alors que j'ai remarqué que mon amoureux avait un bouton sur le nez et qu'une petite croûte s'était formée… « Bon sang, Mirella, j'y ai vraiment cru moi aussi ! » Je ne peux m'empêcher de rire en vous racontant cela !

Il y a aussi eu la phase des serpents. J'avais lu qu'un serpent s'était évadé de son vivarium à Montréal. J'ai pensé qu'il pourrait éventuellement se retrouver dans la cuvette de mes toilettes. À chaque fois que j'allais faire pipi, je vérifiais avant de m'asseoir qu'aucun reptile ne prenait son bain…

On ne peut pas raisonner face à une obsession. Elle mène sa propre vie. Et le temps qu'elle dure, nous vivons à ses dépens.

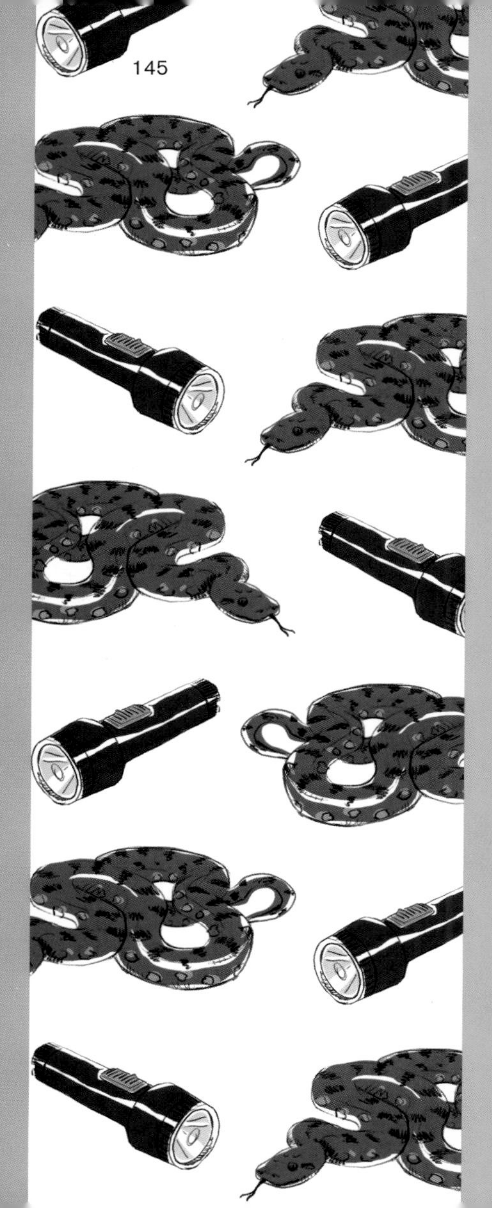

QU'EST-CE QUI M'A AIDÉE ?

Mon amour de conjoint, en qui j'ai confiance et qui a fait preuve d'une grande écoute sans jamais me ridiculiser. Il incarne la patience même.

Lisa, mon homéopathe, qui m'a trouvé les granules sur mesure, c'est-à-dire répondant à mon profil physique et psychique, pour contrer ces mauvais esprits la nuit.

L'autodérision et ses vertus naturelles. La capacité de rire de mes aventures nocturnes en les racontant à mes amis a été salutaire !

Symptôme n° 35

L'INVERSION DES MOTS ET DES LETTRES

« Tu es café et tu ne bois pas de français ? »

« J'ai hâte de rentrer pour me faire une série sur Nexflit ! »

« OK, on se confirme ça par totex. »

« Son vode de mie a beaucoup changé depuis ce diagnostic. »

Non, il ne s'agit pas d'argot ! C'est ainsi que la langue m'a fourché régulièrement pendant plus d'un an. À ma grande stupéfaction, je m'entendais dire des phrases qui ressemblaient à des contrepèteries, sans en être véritablement. Entre amis, j'avoue que nous trouvions cela très drôle. Dans le contexte professionnel, en revanche, c'était plutôt déconcertant. Que se passait-il pour que j'inverse ainsi les mots et les lettres à tout bout de champ ? J'avais l'impression qu'il manquait une connexion entre mon cerveau et ma bouche.

Un jour, à l'heure du thé, mon amie Marie s'est esclaffée quand une autre phrase bizarre est sortie de ma bouche. Marie et moi, nous nous entendons comme larrons en foire. Nous partageons le même goût du rire et de l'autodérision. Quand j'ai compris pourquoi elle riait aux larmes, je lui ai avoué que depuis que j'étais en préménopause, je n'avais plus de suite, non pas dans les idées, mais dans les paroles ! Elle m'a rassurée en me confiant qu'elle aussi connaissait ce genre d'épisodes de « déparlage ». J'avais beau ne plus être la seule fille au monde à faire une folle d'elle, je n'en étais pas moins perturbée.

Puis ce fut au tour de mes doigts de s'emmêler sur el calvier. En voilà une prueve flagrante. Je vous jure que je ne le fais aps exprès ! Depusi plsu de trois ans, je dois composer avec cette étrange forem de dyslexie du clavier. Imaginez... Je reçois en moyenne 80 courriels par jour auxquels je dois répondre, ce qui fait, sur une plage horaire de 8 heures, un courriel aux 6 minutes, selon les savants calculs de mon conjoint qui carbure aux chiffres. Je n'ai malheureusement pas le talent d'une sténographe, et je tape à deux doigts. Inutile donc de vous préciser que ces problèmes d'inversion de lettres m'ont frustrée au plus haut point. Il y a des jours où j'avais envie de hurler, voire de pleurer, tellement je frôlais le degré zéro de l'efficacité ! Et je ne vous dirai pas le nombre d'heures que j'ai gaspillées à corriger mes fautes en écrivant ce livre…

C'est en en parlant avec Lisa, mon homéopathe, que j'ai compris que ce nouveau trouble avait sans doute un lien avec la préménopause. Je ne peux avancer une théorie quelconque, ni elle d'ailleurs, mais nous avons conclu qu'il fallait certainement chercher la cause de ce phénomène dans la baisse d'hormones qui servent à huiler la mécanique de notre cerveau. Cela nous paraissait d'autant plus plausible que j'avais déjà observé par le passé une tendance à inverser les mots lors des périodes d'ovulation.